大人のやり直し英文法

中学英語
イメージリンク

著者 遠藤雅義

英会話エクスプレス出版

contents

中学2年生の英語

contents

中学3年生の英語

おわりに……………………………………………288

その他

ことばの研究室の主なトピック

はじめに

本書の特徴

　本書は、中学で習う英語をイメージと結びつけて解説した本です。英文法の背後にある自然さを、イラストではっきりと目に見えるようにしました。

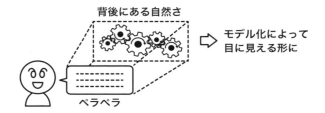

　「細かいルールは忘れてしまうかもしれないけれど、もうこれで中学英文法は大丈夫だろう」――そう思っていただけるように、本書を通じてお手伝いができればと思っています。

読者の皆さんへ

　英語の参考書を買って「さあ頑張るぞ！」と始めたけれど、覚えることが多すぎて挫折してしまった……。そんな経験はありませんか？

たくさんのルールや例外に触れているうちに「英語は難しい」と感じるようになってしまった方は多いと思います。

　しかし、それらのたくさんのルールや例外の裏側に「誰もが何となく納得できるような自然さ」があったとしたらどうでしょう。

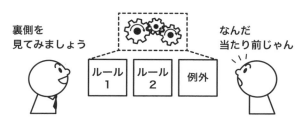

　裏側がわかれば、英文法のルールを覚えていなくても英文が理解できるようになります。「なるほど、こういう仕組みだから、こういうルールや例外が出てくるのか」と納得できるようになるわけです。

　英語を操るネイティブも、私たち日本人も同じ人間です。彼らが英語を理解できるのであれば、私たちも英語を理解できるはず。同じ人間なのですから、理解できないはずがないのです。

　本書では、英語が「誰もが理解できるような自然さ」に基づいていることを、イラストでモデル化して目に見えるようにしました。本書を読んで「なんだ、英語って意外と簡単じゃないか」と感じていただければ、著者として大変嬉しく思います。

本書の構成

　本書は中学で習う英文法をだいたいカバーしています。英文法の解説においては、最初に「解説イラスト」を提示しています。「解説イラスト」の構成は以下のようになっています。

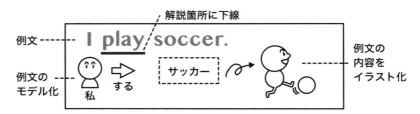

　下線を引いているのは、その例文で解説として取り上げる部分です。下線の色はだいたい次のような分類で配色しています。

━━ 主語、その他強調　　　　　　━━ 冠詞、数詞

━━ 動詞　　　　　　　　　　　　━━ 形容詞

━━ その他強調　　　　　　　　　━━ 副詞

━━ 名詞、目的語、動名詞　　　　━━ 前置詞

━━ 疑問詞、接続詞、　　　　（※）あくまで目安です。
　　関係詞、節　　　　　　　　　このルールに必ず従っているわけでは
　　　　　　　　　　　　　　　　ありません。

　なお、赤や青は単なる強調として使用していることがほとんどです。それ以外の色については、出てきたときに少し意識する程度で問題ありません。英語を教える先生でなければ、あまり色を気にせず読み進めていただければと思います。

※紙面が限られているなどの理由でイラストを省略している例文があります。省略したイラストは P.115 で案内している読者特典 pdf に載せているので、必要に応じてご参照ください。

「ことばの研究室」について

　本書では節目ごとに「ことばの研究室」というコーナーを設けています。このコーナーでは「英文法の裏側にあるもの」や「日本語と英語の違い」などを説明しています。

　発展的な内容を含むので、読むのがしんどいと感じた場合は飛ばしても大丈夫です。本文だけで中学英語の振り返りができますのでご安心ください。

「ことばの研究室」に登場するのは著者の遠藤とアシスタントの今井くんです。

　今井くんは大学時代にネイティブと交遊があったので、日常会話には不自由しないレベルで英語を話せますが、英文法はいまでも苦手です。本書では、読者の疑問を代弁してもらうため、英語に苦手意識をもっていた中学生の頃に戻ったつもりで意見を述べてもらっています。

第1章　主語と動詞、人称

 「主語」「動詞」は中学英語でよく聞いたことのある言葉ですよね。簡単に振り返っていきましょう。

主語と動詞

I play soccer.（私はサッカーをする）

　例文における I を「主語」、play を「動詞」と呼びます。

　主語とは「文の主人公」のことであり、誰の話なのか・何の話なのかを表します。英語では文の最初に主語を置きます。

　動詞は主に「動き」を表します。英語では主語の次に動詞を置いて、主語がどのような動きをするのか表します。

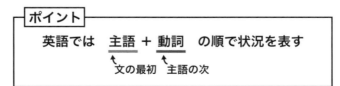

ポイント

英語では　主語　+　動詞　の順で状況を表す
　　　　　文の最初　主語の次

人称

　英語は、文の主語が誰なのかを重要視する言語です。話し手の話なのか、聞き手の話なのか、第三者の話なのか。これらの区別を表す用語が「人称」です。

・話し手を含む場合…1人称
・聞き手を含む場合…2人称
・第三者の場合…3人称

人称		単数	複数
1人称	話し手を含む	I（私）	we（私たち）
2人称	聞き手を含む	you（あなた、あなたたち）	
3人称	第三者	he（彼） she（彼女） it（それ）	they（彼ら それら）

第2章　be動詞（am, are, is）

　英語の動詞には「be 動詞」と「一般動詞」の 2 種類があります。主に動きを表す「一般動詞」に対して、状態や存在を表すのが「be 動詞」です。be 動詞は「です、ます」という日本語に対応することが多いですが、「イコール」のイメージで捉えると正体がつかみやすくなりますよ。

be動詞の働き

I am Taro.（私は太郎です）

　例文における am が be 動詞です。「私＝太郎」のように be 動詞は「イコール」でつなぐ働きをします。

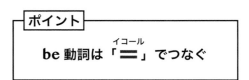

ポイント

be 動詞は「＝」でつなぐ

状態を表す be動詞

I am busy.（私は忙しいです）

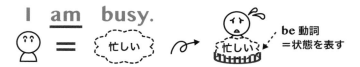

「私＝忙しい」で「私は忙しいです」となります。この be 動詞は状態を表しています。

存在を表す be動詞

I am in the room.（私はその部屋の中にいます）

「私＝その部屋の中」で「私はその部屋の中にいます」となります。この be 動詞は存在を表しており、日本語訳にすると「ある、いる」という意味になります。

　なお、主語の存在を強調したり、主語の状態を表したりするという意味で、イラストでは be 動詞を魔法陣のように描いています。

be動詞の一覧表

英語では主語によって be 動詞の形を変えて使います。

（現在形）	単数	複数
1人称	I **am** (I'm)	We **are** (We're)
2人称	You **are** (You're)	
3人称	He,She,It **is** (He's,She's,It's)	They **are** (They're)

※（　）は短縮形です。

※表に「現在形」とありますが、ここでは「現在のことを表すときに用いる形」とお考えください。詳しくは第17章で解説します。

> You are a nice guy.（あなたは良いやつだね）
>
> Eggs are in the fridge.（卵は冷蔵庫にあります）
>
> Mr. Imai is a military nerd.（今井くんは軍事オタクです）
>
> ※ military「軍事」　nerd「オタク」

第3章　一般動詞と3単現の s

　英語の動詞で、主に動きを表すのが「一般動詞」です。一般動詞は「矢印」のイメージで捉えることがポイントになります。

　また、一般動詞では<u>3人称</u>・<u>単数</u>・<u>現在形</u>（3単現）の場合に s をつけて形を変えます。特別な形 es をつけるパターンもまとめていますが、最初はさらっと読み進めていってくださいね。

一般動詞の働き

I play soccer.（私はサッカーをする）

　例文における play が一般動詞です。「私→サッカー」のように一般動詞は動きを表します。

```
ポイント
　　一般動詞は「⇨」で動きを表す
```

be動詞と一般動詞

よくある間違いとして、be 動詞と一般動詞を並べて使ってしまうというものがあります。

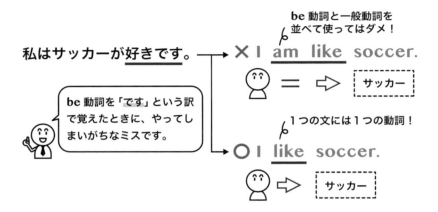

英語では「1つの文には1つの動詞」が原則です。am like のように be 動詞と一般動詞を並べて使ってはいけません。

> **ポイント**
>
> **be 動詞と一般動詞を並べて使わない**

3単現の s

be 動詞は主語によって使う形を変えていましたよね。一般動詞でも主語によって使う形が変わります。

（現在形）	単数	複数
1人称	I play	We play
2人称	You play	
3人称	He, She, It plays	They play

3単現の S

　一般動詞では、3人称単数現在形のときだけ s をつけた形に変えて使います。

特別な形の3単現(esなど)

多くの一般動詞の3人称単数現在形は -s をつけるだけですが、それ以外に -es をつけるパターンなどもあります。

① 特別な形になる	**have** (もっている) ⇨ **has**
② -es をつける 　　語尾が **-s,-sh,-ch,-o,-x**	**go** (行く) ⇨ **goes** **do** (する) ⇨ **does** **teach** (教える) ⇨ **teaches** **finish** (終える) ⇨ **finishes**
③ -y→-ies にする 　　語尾が「子音＋-y」 ------------------------------------ (注) 語尾が「母音＋-y」なら (a,e,i,o,u) -s だけつける	**study** (勉強する) ⇨ **studies** **try** (試す) ⇨ **tries** ------------------------------------ **play** (する、遊ぶ) ⇨ **plays** **say** (言う) ⇨ **says**

I like ice cream. (私はアイスクリームが好きです)
Mr. Imai likes military martial arts. (今井くんは軍隊流格闘技が好きです)
Mr. Imai has a drone. (今井くんはドローンをもっています)

※ military martial arts「軍隊流格闘技」　drone「ドローン (無人航空機)」

ことばの研究室

遠藤　今井くん、ここまでのところで、どう感じましたか？

今井　「あー、英文法がはじまったなぁ……。嫌だなー」というのが、率直な感想ですね。

遠藤　本当にストレートな感想ですね（笑）　ただ、確かに覚えることがたくさんあると、うんざりしてしまいますよね。

今井　僕は暗記が得意ではないですし、実感の伴わない話が続くとつまらないので読む気がなくなるんですよね。

遠藤　それはそうですよね。なので、この「ことばの研究室」では、言葉の裏側にある人間らしさを、なるべくわかりやすく説明できればと思っています。

■ 日本語では話し手が場に入り込む

遠藤　さっそくですが、これまでに「日本語では主語は省略できるが、英語では主語が必要」という説明を聞いたことはありませんか？

今井　ありますね。「ふーん、そうなんだ」という感じでしたが、それがどうかしたのですか？

遠藤　実はこれ、日本語と英語で「物の見方」が違っていることに由来しているのです。

今井　物の見方……？　うーん、なんですか、それは？

遠藤　まず「日本語では主語は省略できるが、英語では主語が必要」について例文で確認してから、物の見方について説明していきますね。

日本語：あなたにこのマンガを貸してもいいよ。

英語：I can lend you this manga.（私はあなたにこのマンガを貸してもいい）

※ can「〜できる」 lend「貸す」 can lend「貸すことができる」→「貸してもいい」

　日本語の例文にあるように、日本語では話し手である「私」を言語化

しないのがふつうです。その場にいるのだから、わざわざ言う必要はないという感覚ですね。

今井　あー、確かに。日本語で「私はあなたにこのマンガを貸してもいいよ」と言うと、なんだか「（他の人と違って）私は」みたいなニュアンスが含まれてしまいそうですよね。

遠藤　そうです。日本語では「その場にいるもの」については言語化しない方が自然に聞こえるのです。このような日本語の特徴を「場に入り込む」と言います。日本語では、話し手が場に入り込んで、そこから見えるものを表現しているわけです。

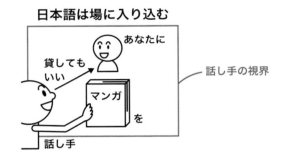

日本語は場に入り込む

今井　なるほど。それで「私は」と言うと、わざわざ言っている感じになるんですね。そうすると、主語が必要な英語では、話し手は場に入り込んでいないってわけですか？

遠藤　その通りです。英語では、話し手は場に入り込んでいません。そのため、描こうとしている状況にＩ（私）がいるのであれば、必ず言語化しなければいけないのです。主語が必要というよりも、登場人物を表に出さないといけないというわけですね。

今井　少し離れたところから見ているような感じでしょうか？

遠藤　そうですね。英語は「真っ白なキャンバスに絵を描く」ように捉えるとよいですよ。

英語は真っ白なキャンバスに絵を描く

私　貸しても　あなた　マンガ　真っ白な
いい　　　　　　　　　　キャンバス

話し手

■ 日本語と英語の語順

今井　日本語と英語で物の見方が違っているのはわかりましたが、語順についてはどう考えればいいですか？

遠藤　語順については、日本語と英語を次の2つのゲームにたとえて説明しますね。

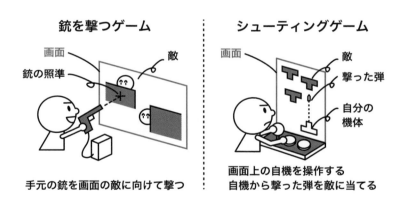

銃を撃つゲーム

画面　　　　　　　　　敵
銃の照準

手元の銃を画面の敵に向けて撃つ

シューティングゲーム

画面　　　　　　　敵
　　　　　　　　撃った弾
　　　　　　　　自分の
　　　　　　　　機体

画面上の自機を操作する
自機から撃った弾を敵に当てる

・銃を撃つゲーム：手元にある銃を使って、画面上の敵を倒していくゲーム。

・シューティングゲーム：画面上の自機を操って、敵を倒していくゲーム。

今井　両方ともゲームセンターなどに置いてあるようなゲーム機ですね。それで、日本語はどちらのゲームなのですか？

遠藤　日本語における物の見方は「銃を撃つゲーム」の方です。この場合、プレイヤー自身の姿は画面上に現れません。攻撃するときも「敵を・

撃つ」という順になります。日本語に置き換えれば、「何を・どうする」という語順になるわけです。

日本語の語順

① 敵を
② 撃つ

今井 そうすると、英語は「シューティングゲーム」の方ですか。これって自分の機体からピコピコと弾を撃って、その弾が敵に当たったら敵を倒せるというゲームですよね。

遠藤 そうです。シューティングゲームでは、プレイヤーを表す自機が画面上に表示されています。攻撃するときも「自機が・撃つ・敵を」という順になります。英語に置き換えれば、「誰が・どうする・何を（主語・動詞・目的語）」という語順になるわけです。

英語の語順

① 自機が
② 撃つ
③ 敵を

今井 なるほど。語順もそれぞれの物の見方に沿ったものになっているんですね。

第4章　名詞（単数形と複数形）

 動詞の次は名詞を見ていきましょう。英語で何か物を表すときは、その物の「輪郭」と「中身」を分けて考えることがポイントになります。

名詞とは

I play soccer.（私はサッカーをする）

　例文における soccer が名詞です。英語の名詞は、その名詞がどういうものなのか（中身やコンセプトなど）を表します。

　コンセプトとは、たとえば「サッカーって何？」と聞かれたときに答えるような内容と考えるとよいでしょう。サッカーの場合は「ボールを相手のゴールに入れたら１点」「ゴールキーパー以外の選手は手を使ってはいけない」などがあげられます。

名詞の単数形

I like chicken. （私は鶏肉料理が好きです）

　例文における chicken を「名詞の単数形」と呼びます。
　名詞が単数形だけで使われる場合は、その名詞の中身やコンセプトなどを表します。chicken の場合は「鶏の中身」→「鶏肉」という意味を表しますが、慣用的に「鶏肉料理」の意味でよく使われます。

┌─ **ポイント** ─────────────────────┐
名詞の単数形：中身やコンセプトなどを表す
└──────────────────────────────┘

単数の表し方

I have a chicken. （私は 1 羽の鶏を飼っています）

例文のように a chicken で「1羽の鶏」という意味になります。

　a は輪郭をもたせるような働きをします。「輪郭＋中身」という組み合わせで、「輪郭をもった鶏」→「1羽の鶏」を表しているわけです。

英語では、このように「a＋単数形」の形で「1つの〇〇」を表します。

・a dog（1匹の犬）
・a boy（1人の男の子）
・an apple（1個のリンゴ）

名詞が母音（a, e, i, o, u）の音で始まる場合は、a の代わりに an を用います。

┌─ **ポイント** ─────────────────┐
│ **a/an＋単数形：「1つの〇〇」を表す**
└──────────────────────────────┘

複数の表し方（複数形）

I have two chickens.（私は2羽の鶏を飼っています）

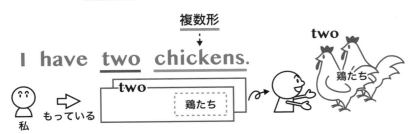

　例文のように two chickens で「2羽の鶏」という意味になります。chickens を「名詞の複数形」と呼びます。

　chickens は「鶏たち」という意味です。two という2つの枠に、1羽1羽の鶏を入れることで「2羽の鶏」を表しているわけです。

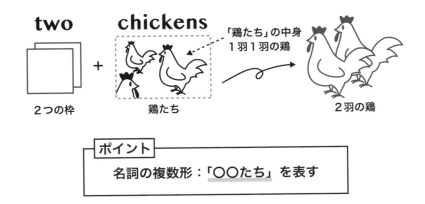

> ┌ ポイント ┐
> 名詞の複数形：「○○たち」を表す

特別な形の複数形（esなど）

　多くの名詞の複数形は -s をつけるだけですが、それ以外に -es をつけるパターンなどもあります。一般動詞の３単現のときとだいたい同じなので、一緒に覚えるとよいでしょう。

① -es をつける 　語尾が **-s,-sh,-ch,-o,-x**	**bus**（バス）⇨ **bus**es **box**（箱）　⇨ **box**es **dish**（皿）　⇨ **dish**es **watch**（時計）⇨**watch**es **potato**（じゃがいも）⇨**potato**es
② -y→-ies にする 　語尾が「子音＋-y」	**city**（都市）　⇨**cit**ies **family**（家族）⇨**famil**ies
③ **-f,-fe**→-ves にする	**leaf**（葉）　⇨ **lea**ves **knife**（ナイフ）⇨ **kni**ves
④ 特別な形になる	**man**（男）　⇨ men **child**（子供）⇨ children **tooth**（歯）　⇨ teeth
⑤ 単数形と同じ形 　（単複同形）	**fish**（魚）　⇨ fish **sheep**（羊）⇨ sheep

第5章　可算名詞と不可算名詞

　英語には「数えられない名詞」というものがあります。たとえば、water は数えられない名詞です。ここでは「数えられない名詞とはどういうものなのか」と「なぜ water は数えられない名詞なのか」について確認していきます。

可算名詞と不可算名詞

例文1：I like chicken.（私は鶏肉料理が好きです）
例文2：I have a chicken.（私は1羽の鶏を飼っています）

　例文1の chicken のように「単数形だけ」のとき、この名詞は「不可算名詞」として使われていると言います。
　例文2の a chicken のように「a/an ＋単数形」のとき、この名詞は「可算名詞」として使われていると言います。

ポイント

「a/an＋単数形」のとき可算名詞として使われている。

「単数形だけ」のとき不可算名詞として使われている。

---

chicken [tʃik(ə)n]

名詞　【可】鶏、ひよこ ◀·····**a chicken** のときの意味

　　　　【不】鶏肉　　　◀·····**chicken** だけのときの意味

【可】（または [C]）という表記は、可算名詞として使われるときの意味です。つまり、「a/an ＋単数形」で使ったときの意味ということです。

【不】（または [U]）という表記は、不可算名詞として使われるときの意味です。つまり、「単数形だけ」で使ったときの意味ということです。

数えられない名詞

　英語の名詞には、数えられない名詞というものがあります。不可算名詞としてのみ使う名詞（＝可算名詞としては使われない名詞）のことです。

　たとえば、water は数えられない名詞です。a water のように「a/an ＋単数形」の形をとりません。

× **a water**

water

しかし、「1滴の水」のことを a water と表してもよさそうです
よね。なぜ、英語ではこの表現がダメなのかを見ておきましょう。

　1滴の水と1滴の水を合わせると、少し大きい1滴の水になりま
す。1＋1が2ではなく1になるわけです。

　このように、足し合わせたときに一緒になって区別できなくなる
ものは、英語の世界では数えられない名詞に分類されます。

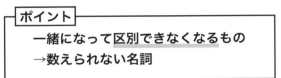

数えられない名詞の数量の表し方

a glass of water（グラス1杯の水）
two glasses of water（グラス2杯の水）

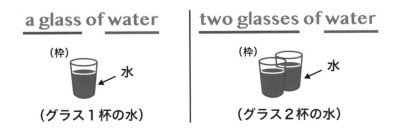

数えられない名詞の数量は、容器などの枠を使って表します。枠があれば足し合わせても一緒にならずに済みます。

■ 代表的な数量表現

| **a cup of**… | **a bottle of**… | **a piece of**… |
| （1カップの…） | （1ボトルの…） | （1かけらの…） |

ポイント

数えられない名詞の数量を表すときは枠を使う
（容器など）

代表的な数えられない名詞と見分け方

代表的な数えられない名詞と見分け方のポイントをまとめておきました。

数えられない名詞	見分けるポイント
air（空気）	気体
salt（塩）	粒状の集まり 【類】sand（砂）
water（水）	1＋1が1になる

ことばの研究室

■ 日本語では物の輪郭を無視してしまう

今井 僕はよく a を無視して使ってしまったりするんですよ。a なんて僕にとってはどうでもいいことなんです（笑）

でも、実際の英語の世界では、まずその物の輪郭を見ていて、その輪郭を a で表していたんですね。そして、輪郭（a）と中身（名詞）で、そのもの全体を表すと。この話はとても面白かったです。

遠藤 私たちにとって a/an を使いこなすのが難しいのは、日本語では輪郭を無視してしまうからです。そうそう、この輪郭を無視してしまうことは、単数と複数を区別しないことにもつながっているのですよ。

たとえば、「いまから友だちと公園に行ってくるね」という日本語を考えてみましょう。ここに出てくる「友だち」ですが、これだけでは1人なのか2人以上なのかわかりませんよね。

しかし、日本語ではこれでよいのです。日本語では中身が重要なのであって、単数や複数の区別はあまりしないのです。

日本語では中身が重要

今井 確かに。いちいち「いまから1人の友だちと公園に行ってくるね」のようには言わないですね。「1人の」がついていると、ことさらに「1人」が強調されてしまって、何か別の意味があるような感じがします。

遠藤 そうですね。日本語では、特別な意図がない限りは数を表に出さないですからね。逆に言えば、私たちが英語を学ぶときには、物の輪郭

を強く意識する必要があるということでもあります。

■ 日本語では枠も無視してしまう

今井　a glass of water も「グラス1杯の水」ですが、ふつう日本語では「お水をください」のように「水」としか言わないですよね。レストランで店員さんに「グラス1杯の水をください」と言ったら、「グラス」が強調されすぎていて、僕は違和感を覚えますね。

遠藤　店員さんも「細かいお客さんだなぁ」と感じてしまいそうですよね。でも、英語ではそれが当たり前なのです。

　むしろ、「グラスに入った水」を「水」と表現するような発想は、英語ネイティブからすれば「グラスがあるのに、なぜグラスを無視するのだろう……」と感じてしまうようなものなのです。

今井　うーん、これまで無視していたものをちゃんと見るようにするのは、かなり難しそうですね。

遠藤　一朝一夕にできるようにはならないので、少しずつ意識していくしかないですね。

第6章　代名詞の主格・所有格・目的格、所有代名詞

　名詞の代わりに人や物を指し示すのが代名詞です。たとえば、Mike（マイク）という人に関することを述べたいとき、1回目は Mike で表しますが、2回目以降は He（彼）のような代名詞を用います。ここでは、よく出てくる代名詞をざっと確認しておきましょう。

代名詞の主格

代名詞の主格とは、文の主語として使われる代名詞のことです。

人称	単数	複数
1人称	I（私）	we（私たち）
2人称	you（あなた、あなたたち）	
3人称	he（彼） she（彼女） it（それ）	they（彼ら／それら）

代名詞の所有格

This is my book.（これは私の本です）

my を「所有格」と呼びます。所有格は「〜の」を表します。

	単数	複数
1人称	my（私の）	our（私たちの）
2人称	your（あなたの、あなたたちの）	
3人称	his（彼の） her（彼女の） its（それの）	their（彼らの それらの）

a/an と所有格

（×）This is a my book.

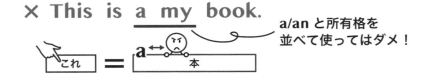

a my のように a/an と所有格を並べて使ってはいけません。

人や物の所有を表すとき

This is Taro's book.（これは太郎の本です）

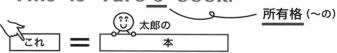

人や物による所有は、名前に「's」をつけて表します。

代名詞の目的格

I know him.（私は彼を知っています）

him を「目的格」と呼びます。目的格は「〜を、〜に」を表します。

	単数	複数
1人称	me（私を）	us（私たちを）
2人称	you（あなたを、あなたたちを）	
3人称	him（彼を） her（彼女を） it（それを）	them（彼らを それらを）

所有代名詞

The book is mine.（その本は私のものです）

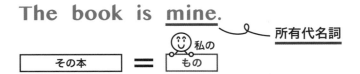

　mine を「所有代名詞」と呼びます。所有代名詞は「～のもの」を表します。

	単数	複数
1人称	**mine** （私のもの）	**ours** （私たちのもの）
2人称	**yours** （あなたのもの、あなたたちのもの）	
3人称	**his** （彼のもの） **hers** （彼女のもの） —————（※）	**theirs** （彼らのもの）

（※）it の所有代名詞は its ですが、ほぼ使われていないので——としています。

代名詞のまとめ一覧表

主格 – 所有格 – 目的格 – 所有代名詞
(〜は)　　(〜の)　　(〜を、〜に)　　(〜のもの)

	単数	複数
1人称	I-my-me-mine	we-our-us-ours
2人称	you-your-you-yours	
3人称	he-his-him-his she-her-her-hers it-its-it-×	they-their-them-theirs

That is Mr. Imai's manga.（あれは今井くんのマンガです）

That manga is his.（あのマンガは彼のものです）

"That is a nice umbrella." "It's hers."（「あれはすてきな傘だね」「それは彼女のだよ」）

続いて、形容詞と副詞を見ていきましょう。形容詞は日本語と英語で大きな違いはありませんので、ご安心を。副詞は、そもそも日本語でもその正体をつかむのが難しいですよね。英語では、副詞は「動きを加えて一部修正する」ものとして捉えることがポイントになります。

形容詞とは

a big dog（大きな犬）

　フレーズの big を「形容詞」と呼びます。形容詞は人や物の状態や性質を表します。

> **ポイント**
>
> 形容詞：人や物の<u>状態や性質</u>を表す
> 　　　　（名詞）

　英語では人や物を表現するとき、外側の情報から述べていきます。

「大きな犬」の場合、枠・輪郭（a）→状態（big）→物（dog）という順番になります。

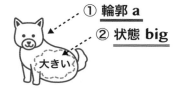

○ <u>a</u> <u>big</u> dog

× <u>big</u> <u>a</u> dog

① 輪郭 **a**

② 状態 **big**

外側の情報から述べていく

a big old brown desk（大きくて古い茶色の机）

a fine French wine（すばらしいフランスのワイン）

副詞とは

He runs fast.（彼は速く走ります）

副詞
↓
He runs <u>fast.</u>

彼　走る　速く

速く

走る

副詞
＝動きを加える

　例文における fast を「副詞」と呼びます。副詞は「走る」→「速く走る」のように、動詞 runs に動きを加えて、その意味を一部修正しています。

ポイント

副詞：動きを加えて一部修正する

時・場所を表す副詞（いつ・どこで）

I am busy now.（私はいま忙しいです）

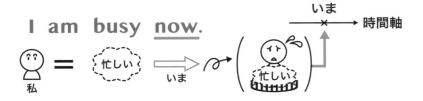

　例文における now が副詞です。「私は忙しい」→「いま」のように、描いた状況（I am busy）を時間軸上に移すことで時を表しています。時間軸上に移す＝動きを加えている、というわけです。

様態を表す副詞（どのように）

He speaks English well.（彼は英語を上手に話します）

　例文における well が副詞です。「英語を話す」→「英語を上手に話す」のように、動詞 speaks に動きを加えて、その意味を一部修正しています。

さて、この例文では副詞（well）は動詞（speaks）と離れています。このようなときは、動詞の影響が目的語の後にも残ると考えてください。

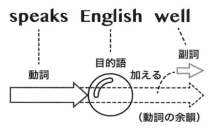

動詞の余韻に副詞を加える

目的語の後に残っている「動詞の余韻」に対して副詞を加えることで、動詞の意味を修正しているわけです。（動詞の余韻については、この後の「ことばの研究室」で補足しています。）

代表的な副詞と位置

代表的な副詞と英文における位置を確認しておきましょう。

	代表的な副詞	位置
時 (いつ)	**now**（いま） **then**（そのとき） **every day***（毎日）	文末 （　）　→×→ 時間軸 　　　　┘↑ 副詞
場所 (どこで)	**here**（ここで、ここに） **there**（あそこで、あそこに） **home**（家で、家に）	文末 （　）　▱ 場所 　　　┘↑ 副詞
様態 (どのように)	**fast**（速く） **well**（上手に） **hard**（一生懸命に）	動詞（＋目的語）＋副詞 ⇨（ ◯ ）⇨

*every day は２語で副詞の働きをします。「副詞句」と呼びます。

I eat breakfast quickly.（私は朝食を素早く食べます）

Mr. Imai works out every day.（今井くんは毎日トレーニングをしています）

※ work out「運動やトレーニングをする」

ことばの研究室

■ 動詞の余韻部分はバッティングにおけるフォロースルー

今井 動詞と副詞が離れている場合の説明がわかったようでわかりません。特に、動詞の余韻のところがしっくりきていません。もう少し説明してもらえますか？

遠藤 これは「野球のバッティング」をイメージするとわかりやすいと思います。打者はバットを振ってボールに当てた後も、そのままバットを回しますよね。野球用語でフォロースルーと呼びますが、このフォロースルーが動詞の余韻に当てはまります。

目的語　動詞の余韻

動詞　（フォロースルー）

　重要なことは、そのフォロースルーの間に「どのように打ったのか」を述べる、ということです。

今井 実況的に言えば「バッター打ちます！」「当たった！」「上手い！」みたいな感じですか？

遠藤 そうですね（笑）　バットを振ることが動詞。バットをボールに当てるところが、動詞が目的語にかかっているところ。そして、その後のフォロースルーのところで、副詞が動詞にかかるわけです。

今井 後付けってことなんですね。

遠藤 そう捉えてもよいですし、別の見方をすれば、動詞がその行為を受ける目的語をせっかちに要求するので、どうしても副詞は目的語の後になってしまう、と考えてもいいかもしれませんね。

第8章　前置詞

　前置詞は副詞と同じように時や場所などを表すことができます。ただし、副詞が「1語だけ」で表せるのに対して、前置詞は「名詞とのセット」で表すという違いがあります。

前置詞とは

I play soccer in the park.（私はその公園の中でサッカーをする）

　例文における in を「前置詞」と呼びます。前置詞は、名詞の前に置いて位置関係などを表します。

> ┌ **ポイント** ┐
> **前置詞：名詞の前に置いて、位置関係などを表す**

前置詞の目的語

This is a present for him. （これは彼へのプレゼントです）

　前置詞 for に続く代名詞は、前置詞の目的語になっているので目的格にします。

代表的な前置詞とイメージ

代表的な前置詞とイメージについて確認しておきましょう。

前置詞	フレーズ例
in （〜の中）	**in the box**（その箱の中に） **in April**（４月に）
on （〜に触れている 〜の上に）	**on the table**（そのテーブルの上に） **on Sunday**（日曜日に）
at （〜で、〜に）	**at the station**（その駅で） **at 7 o'clock**（７時に）
to （〜まで）	**to Osaka**（大阪まで）
from （〜から）	**from Tokyo**（東京から）
for （〜に向けて）	**a present for him**（彼へのプレゼント）
with （〜と一緒に）	**with me**（私と一緒に）

※それぞれの前置詞については、弊著『英文法イメージリンク【前置詞】』にて詳しく解説しています。まぎらわしい「in と at の違い」「by と with の違い」なども扱っています。

ことばの研究室

■ 英語は「中心から周辺へ」の順で状況描写をする

遠藤 主な品詞を学んだので、今回は文全体の流れに注目してみましょう。先に結論から言うと、日本語では「周辺から中心へ」言葉を並べますが、英語では「中心から周辺へ」単語を並べていくという違いがあります。

今井 第3章の「ことばの研究室」で出てきた語順とは違うものですか？確か、英語は「誰が・どうする・何を（主語・動詞・目的語）」という語順で、日本語は「何を・どうする」という語順だったと思いますが。

遠藤 あのときは「動詞の前後」の語順を見ていました。今回は「時や場所を含んだ文全体」の流れを見ていくわけですね。

今井 なるほど。今回は文全体についてなのですね。あと「中心から周辺へ」のように述べられていましたが、中心や周辺って何のことですか？

遠藤 中心とは「動作を表すところ」で、周辺とは「時や場所を表すところ」のことだと思ってください。次の例文を中心と周辺に分けてみますね。

I played soccer in the park yesterday.（昨日、その公園でサッカーをした）

※ played は play（する）の過去形

中心 → 周辺	周辺 → 中心
I played soccer / in the park yesterday	昨日、その公園で / サッカーをした。

今井 あー、確かに英語は「中心から周辺へ」、日本語は「周辺から中心へ」になっていますね。

遠藤 この例文は周辺部分が短いので、もっと周辺部分が長い文についても確認しておきましょう。

I went to a bar on the top floor of a skyscraper in Tokyo

yesterday.（昨日、東京の高層ビルの最上階にあるバーに行った）

※ went は go（行く）の過去形　the top floor「最上階」　skyscraper「高層ビル」

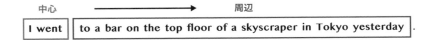

今井　周辺部分に関して言うと、場所を表す a bar → the top floor → a skyscraper → Tokyo が続いていますが、これってどんどん周辺に広げていっている感じがしますね。

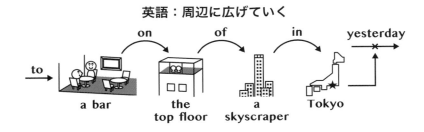

遠藤　そうですね。英語では周辺に広げていく感覚で単語を並べるのですが、その広げるときに前置詞を使うわけです。あと、場所→時という順序になっていることにも注意してくださいね。

　では、日本語の方はどうですか？

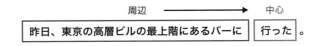

今井　「昨日」→「東京」→「高層ビル」→「最上階」→「バー」までが周辺だと思いますが、日本語だと逆に範囲を絞っていっている感じですね。

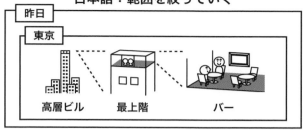

日本語：範囲を絞っていく

昨日

東京

高層ビル　　最上階　　バー

遠藤　その通りです。小学校の作文を思い出してほしいのですが、最初に「いつ・どこで」を考えるように習ったと思います。日本語の場合は、最初に時や場所といった大枠を設けて、そこから範囲を絞っていく感覚で言葉を並べるわけです。

■ Yesterday から始めないように意識する

遠藤　私たち日本人は時や場所から物を見ていくことに慣れています。刷り込まれていると言ってもよいかもしれません。英会話や英作文でYesterday から始めてしまうパターンをよく見かけますが、それは日本語の癖が反映されてしまったものなのです。

今井　なるほど。確かにそういうパターンは多い気がします。

遠藤　もちろんこれは Yesterday から始めてはいけないという意味ではありません。英語ネイティブでも Yesterday から始めることはあります。ただ、そこには特別な意図があって、最初にもってくることがほどんどです。

今井　そういえば、Beatles（ビートルズ）の『Yesterday』という曲がありますけど、この歌は最初 Yesterday から始まっていた気がします。これはどういう意図なのですか？

遠藤　その歌は、最初の一節が Yesterday から文が始まっていて、次の一節は Now から始まっています。歌の内容としては『昨日は順風満帆だったのに、今は何をやっても上手くいかない』という感じで、昨日と今を対比しているのです。

Yesterday...（昨日は〜）

Now...（今は〜） 〉対比

今井 なるほど。特別に取り上げて比べているのか。そういうときに Yesterday を文の最初にもってくるのですね。

遠藤 そうです。逆に言えば、何も意図がないならば、yesterday は最後にもってくるのがふつうだということですね。

　あと、英語の自然な流れという観点から言えば、最初に Yesterday をもってくることで、英語の「中心から周辺へ」という流れに乗りにくくなります。要するに、単語がスムーズに出てこなくなってしまうのです。

今井 本来とは逆の順序で考えるのって、たぶんエスカレーターを逆走しているようなものですよね。すごく努力しているのに、全然前に進めないみたいな。

遠藤 そうですね。努力を無駄にしないという意味でも、最初から英語の見方で英文をつくることを強く意識してもらえればと思います。

第9章 否定文（be動詞、一般動詞）

　日本語では「歩く→歩かない」「します→しません」のように、動詞に「ない」「せん」などを加えて否定文をつくりますよね。英語でも not を加えることで否定文をつくりますが、be 動詞と一般動詞でつくり方が異なるので、そのあたりをおさえていきましょう。

be動詞の否定文

肯定文：I am hungry.（私はお腹がへっています）
否定文：I am not hungry.（私はお腹がへっていません）

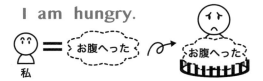

be 動詞の否定文をつくるときは、be 動詞の後に not を入れます。

```
┌─ ポイント ─────────────────────────────┐
│ be 動詞の否定文：be 動詞の後に not を入れる │
└──────────────────────────────────────┘
```

be動詞の否定文の一覧表

（現在形）	単数	複数
1人称	I am **not** （短縮ナシ）	We are **not** (aren't)
2人称	You are **not** (aren't)	
3人称	He,She,It is **not** (isn't)	They are **not** (aren't)

She isn't a teacher.（彼女は先生ではありません）
Those people aren't Japanese.（あの人々は日本人ではありません）

一般動詞の否定文

肯定文：I like coffee.（私はコーヒーが好きです）
否定文：I do not like coffee.（私はコーヒーが好きではありません）

一般動詞の否定文は、一般動詞の前に do not を入れます。

3単現の否定文

肯定文：He likes coffee.（彼はコーヒーが好きです）
否定文：He does not like coffee.（彼はコーヒーが好きではありません）

　3単現の場合、一般動詞の前に does not を入れて、一般動詞には s をつけません。3単現の s は do につけて（do → does）、likes は原形 like にするわけです。

（肯） **likes**　　　　　　①**3単現の s は do につける。do→does**

（否） **does not like**　② **likes の s を外して原形 like にする。**
　　　　　　原形

一般動詞の否定文の一覧表

（現在形）	単数	複数
1人称	I **do not**＋原形 (don't)	We **do not**＋原形 (don't)
2人称	You　　**do not**＋原形　(don't)	
3人称	He,She,It **does not**＋<u>原形</u> (doesn't)	They **do not**＋原形 (don't)

Mr. Imai and I don't like oysters.（今井くんと私はカキが好きではありません）

She is a vegetarian. She doesn't eat meat.（彼女は菜食主義者です。彼女は肉を食べません）

※ oyster「カキ」　vegetarian「菜食主義者、ベジタリアン」

第10章　頻度を表す副詞

 　話が副詞に戻りますが、今回は「頻度を表す副詞」について説明します。頻度を表す副詞でややこしいのは「英文内でどこに置けばよいのか」ですが、実はnotと同じところに置けば大丈夫です。

頻度を表す副詞とは

He is always busy.（彼はいつも忙しいです）

　例文における always を「頻度を表す副詞」と呼びます。be動詞とくっついて、どのような頻度のことなのかを表しています。

I sometimes play soccer.（私は時々サッカーをする）

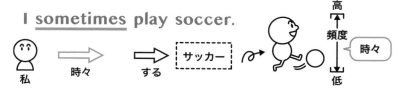

　例文における sometimes も頻度を表す副詞です。一般動詞に働きかけて、どのような頻度でやっているのかを表しています。

頻度を表す副詞の位置

　頻度を表す副詞の位置は、be 動詞の後、一般動詞の前です。一見するとわかりにくいですが、not と同じ位置になります。

頻度を表す副詞の位置 ＝ not と同じ位置

- be 動詞の後 　　　is **always**
- 一般動詞の前 　　**sometimes** play

代表的な頻度を表す副詞

	代表的な副詞	位置
頻度	高 100% — always（いつも） 90% ----- usually（たいてい） 70% ----- often（よく） 50% 30% ----- sometimes（時々） 0% — never（一度もない） 低	not と同じ ・be 動詞の後 ・一般動詞の前

Mr. Imai is usually a nice guy.（今井くんはたいてい良いやつです）

I often play video games.（私はよくゲームをしています）

※video games「ゲーム（テレビゲームだけでなくスマホのゲームなども含む）」

第11章　疑問文（be動詞、一般動詞）

　日本語では「〜です」→「〜ですか？」のように「か？」を加えればよいので、簡単に疑問文をつくることができます。しかし、英語の場合は疑問文のつくり方が少し複雑なので、慣れるまで大変ですよね。一般動詞、be動詞の場合に分けて確認していきましょう。

一般動詞の疑問文

肯定文：You like coffee.（あなたはコーヒーが好きです）
疑問文：Do you like coffee?（あなたはコーヒーが好きですか？）

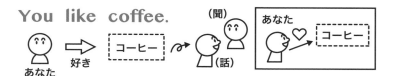

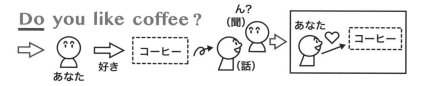

　一般動詞の疑問文をつくる場合、Doを主語の前に入れます。
　疑問文では「聞き手」が必要になります。主語の前に入れたDoが聞き手を引きつけて、それ以降の内容を尋ねている、と捉えるとよいでしょう。

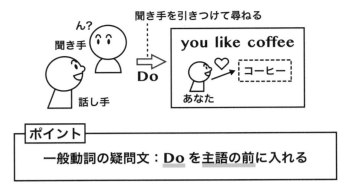

一般動詞の疑問文：**Do** を主語の前に入れる

３単現の疑問文

肯定文：He likes coffee.（彼はコーヒーが好きです）

疑問文：Does he like coffee?（彼はコーヒーが好きですか？）

３単現の場合、Does を主語の前に入れて、その後の一般動詞には s をつけません。

肯 He **like**s

① ３単現の s は do につける。
   Do→Does

疑 Do**es** he **like**

原形

② likes の s を外して
   原形 like にする。

３単現の場合の疑問文：

Does を主語の前に入れて一般動詞には s をつけない

一般動詞の疑問文の一覧表

(現在形)	単数	複数
1人称	**Do** I＋原形〜？	**Do** we＋原形〜？
2人称	**Do** you＋原形〜？	
3人称	**Does** $\begin{pmatrix} \text{he} \\ \text{she} \\ \text{it} \end{pmatrix}$ ＋原形〜？	**Do** they＋原形〜？

一般動詞の疑問文への答え方

Do you like coffee?（あなたはコーヒーが好きですか？）
　Yes, I do.（はい、好きです）
　No, I don't.（いいえ、好きではありません）

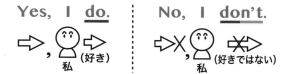

　一般動詞の疑問文には Yes か No で答えます。Yes なら do を使い、No なら don't を使います。

■ 3単現の場合

Does he like coffee?（彼はコーヒーが好きですか？）
　Yes, he does.（はい、好きです）
　No, he doesn't.（いいえ、好きではありません）

　3単現の場合は、Yes なら does、No なら doesn't を使います。

Do / Does の疑問文には do / does で答える

"Do your parents speak English?" "No, they don't."（「両親は英語を話しますか？」「いいえ」）

"Does Mr. Imai like Studio Ghibli movies?" "Yes, he does. He loves 'Whisper of the Heart'."（「今井くんはジブリ映画が好きですか？」「はい。彼は『耳をすませば』が大好きです」）

※ Studio Ghibli「スタジオジブリ」　Whisper of the Heart「耳をすませば」（映画名）

be動詞の疑問文

肯定文：**You are busy.**（あなたは忙しいです）
疑問文：**Are you busy?**（あなたは忙しいですか？）

　be 動詞の疑問文をつくる場合、be 動詞を主語の前に出します。

be 動詞の疑問文では、be 動詞 1 つで「聞き手に尋ねる」ことと「イコールでつなぐ」ことを表しています。一般動詞との違いをイラストで確認しておいてください。

一般動詞の場合

Do you like coffee?

聞き手に　　　動作を
尋ねる　　　　表す

別々の単語で表す

be 動詞の場合

Are you ○ busy?

聞き手に　　　イコールで
尋ねる　　　　つなぐ

be 動詞 1 つで表す

be 動詞の場合は、be 動詞の「イコールでつなぐ」働きが主語の後で実行されていると考えることもできます。

> ┌─**ポイント**─────────────────
> **be 動詞の疑問文：be 動詞を主語の前に出す**

be動詞の疑問文の一覧表

（現在形）	単数	複数
1人称	**Am** I 〜？	**Are** we 〜？
2人称	**Are** you 〜？	
3人称	**Is** (he / she / it) 〜？	**Are** they 〜？

be動詞の疑問文への答え方

Are you busy?（あなたは忙しいですか？）
　Yes, I am.（はい、忙しいです）
　No, I am not.（いいえ、忙しくないです）

be 動詞の疑問文には be 動詞で答えます。

> **ポイント**
>
> ### be 動詞の疑問文には be 動詞で答える

"Am I a nice guy?" "Yes, you are."（「私は良いやつです
か？」「はい」）

"Is your father at home?" "No, he isn't."（「お父さんは家
にいますか？」「いいえ」）

ことばの研究室

■ 英語の文全体は「聞き手とのやりとり→状況描写」という流れ

遠藤　疑問文がふつうの文と違うところは「聞き手とのやりとり」があることです。今回は「聞き手とのやりとり」を含めた疑問文の文全体の流れについて見ていきましょう。

今井　あれ？　文頭にもってきた be 動詞や Do が「聞き手に尋ねる」働きをしているって言ってましたよね。

遠藤　はい、文頭の be 動詞や Do も重要ですが、そこも含めて「文全体」がどうなっているのかを次の例文で確認しておきたいと思います。

Do you play soccer every Sunday?（毎週日曜日にサッカーをしますか？）

　先に結論から言うと、英語では「聞き手とのやりとり→状況描写」、日本語では「状況描写→聞き手とのやりとり」という流れになっているのです。

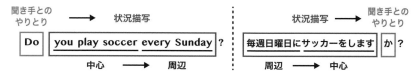

今井　えーと、状況描写という部分は、これまでふつうの文が表していたのと同じように考えればいいですか？

遠藤　そうです。状況描写の内部ではこれまでと同じく、英語だと「中心から周辺へ」、日本語だと「周辺から中心へ」となりますね。

今井　状況描写についてはこれまで通りに考えればいいんですね。それで、英語では「聞き手とのやりとり」が「状況描写」の前に行われるんですね。

遠藤　そうです。疑問文に限らず、英語全般において「聞き手とのやりとり」→「状況描写」という順になるので、ぜひ知っておいてくださいね。

第12章　疑問詞whatの疑問文

 　疑問文には大きく分けて2種類あります。「Yes か No かを知りたい」ときに使う疑問文と、「何なのかわからないものを知りたい」ときに使う疑問文です。今回は、何なのかわからないものを知りたいときに使う「疑問詞の疑問文」を確認していきましょう。

Yes か No かを知りたい ──────▶ **be 動詞や Do/Does を主語の前に置いた疑問文**
（はい）（いいえ）

わからないものを知りたい ──────▶ **疑問詞を使った疑問文**

(what,who,where,when,how,etc)

What is/are ～?（何?）

Is that a hotel?（あれはホテルですか？）
What is that?（あれは何ですか？）

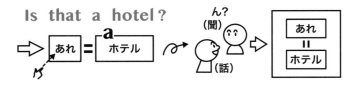

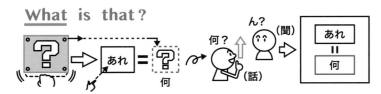

例文に出てくる what を「疑問詞」と呼びます。what は「何」という意味で、イラストでは「はてなボックス」で表しています。（はてなボックスの下の手については後で説明します。）

　what を用いた疑問文のつくり方は 2 ステップになります。まず、わからないもの（a hotel）を what にして文頭にもってきます。次に、what の後を be 動詞の疑問文の語順で続けます。これでできあがりです。

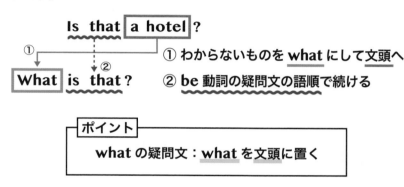

Is that a hotel ?

① What is that ?

① わからないものを what にして文頭へ
② be 動詞の疑問文の語順で続ける

ポイント
what の疑問文：what を文頭に置く

　さて、what の疑問文をつくる際に、わからないもの（a hotel）を what にして文頭にもってきました。そのため、what の疑問文ではわからないもの（a hotel）が元々あったところが空いてしまっていることになります。

　what の疑問文を使うときには、その空いたところをちゃんと埋めるようにすることが大事です。どのように埋めるのか、その流れを 3 つのステップに分けて説明していきます。

①最初の What は「何なのかわからないもの（？）があります！」という宣言。宣言と同時に、はてなボックスを下から叩いて？を出すようにイメージする。

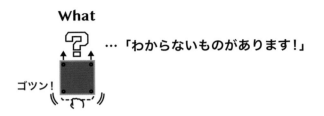

②出てきた？をつかむ。つかんだまま、疑問文 is that を続ける。

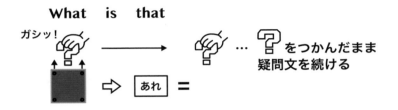

③つかんでいた？を元々あったところ（that の後）に落とす。

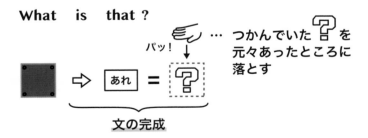

　「わからないもの（？）をつかんで、落とす」ことで、空いてしまったところが埋まり、ちゃんとした文になるわけです。

■ What is/are ～ ? への答え方

What is that? （あれは何ですか？）
  It is a hotel. （あれはホテルです）

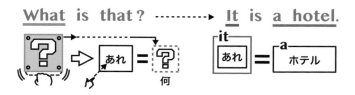

　what の疑問文には、Yes や No で答えることはできません。It is ～ . などの形で答えます。このとき it が使われる理由は、it は前述の物そのものを引き継ぐことができるからです。

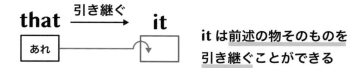

　日本語では相手と同じ言葉（ここでは「あれ」）を使うことで、同じ対象物について答えていることを明示しますが、英語では前述の人や物を引き継ぐ代名詞（ここでは「it」）を使うことで、同じ対象物であることを明示します。

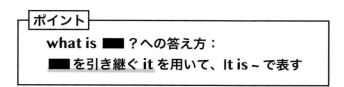

ポイント

what is ■ ?への答え方 ：
■ を引き継ぐ it を用いて、It is ～ で表す

What time is it?（何時?）

What time is it?（いま何時ですか？）

What time is it?

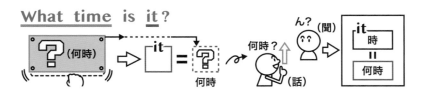

　what time は「何時」という意味です。「what ＋名詞」で「何の〜」という意味になります。

　例文では主語に it が用いられていますが、この it は「時を表す it」と呼ばれるもので、日本語には訳しません。it は他にも天候や状況のような背景的な要素を表すことができます。

時・天候・状況など背景的要素を表す it

It is three o'clock.

話し手　　聞き手

It is sunny.

話し手　　聞き手

ポイント

what time で「何時」を表す。主語には時を表す it を使う

■ **What time is it? への答え方**

What time is it? （いま何時ですか？）
　It is seven o'clock. （7時です）

時間の表し方について代表的な表現をあげておきます。
・ten （10時）
・ten o'clock （10時ちょうど）
・ten fifteen （10時15分）
・ten thirty （10時30分）

What do you 〜?（何を?）

Do you have a pen? （あなたはペンをもっていますか？）
What do you have? （あなたは何をもっていますか？）

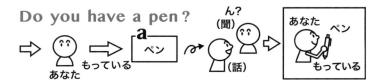

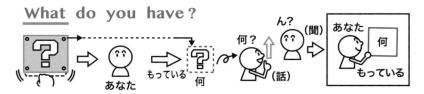

　一般動詞の場合も、わからないもの（a pen）を what にして文頭にもってきます。その後は一般動詞の疑問文の語順のまま続けます。

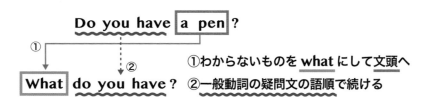

what の後の語順は be 動詞でも一般動詞でも同じというわけです。

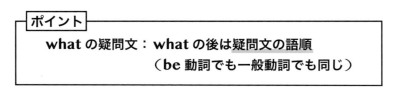

■ What do you 〜？への答え方

What do you have?（あなたは何をもっていますか？）
　I have a pen.（私はペンをもっています）

　What do you 〜？ に対しては、一般動詞を用いて具体的な内容を答えます。

> "What is this?" "It's a drone with a camera."（「これは何ですか？」「これはカメラ付きのドローンです」）
> "What color do you like?" "I like blue and green."（「あなたは何色が好きですか？」「私は青と緑が好きです」）

ことばの研究室

■ what を文頭にもってくる理由

遠藤　今回は what を文頭にもってくる理由について説明しますね。次の例文で考えていきましょう。

What did you eat yesterday? （昨日、何を食べましたか？）
※ did は do の過去形

今井　そういえば、日本語の場合はわかりやすいですよね。たとえば「昨日、魚を食べましたか？」の「魚」を「何」に変えたらいいだけですもんね。
遠藤　その通りです。日本語だと「何」の疑問文をつくるときに、言葉の位置を変えなくてよいので簡単なのです。

昨日、魚を食べましたか？

↓ 言葉の位置を変えなくてよい

昨日、何を食べましたか？

今井　それで、英語の場合はどうして what を文頭にもってくるんですか？
遠藤　さきほどの例文をイラストにしてみましょう。What が「聞き手とのやりとり」に含まれていることがわかるかと思います。

What did you eat yesterday ?

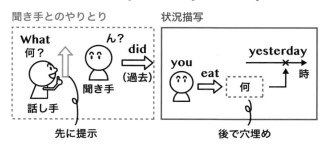

遠藤　これは、「何？」が聞きたいことなんだと「聞き手とのやりとり」のところで先に提示しているわけです。そして、その後の状況描写で「何」のところを穴埋めするのです。

今井　なるほど。聞き手とのやりとりは文の最初に行われるから、whatを文頭にもってきているんですね。

　でも、文頭にもってくるのはいいですが、後で穴埋めをしないといけないのは厄介ですよね。僕はWhatを使うときに穴埋めなんて意識していないんですが、やっぱり意識しておいたほうがいいんでしょうか？

遠藤　悩ましいところですね。現実的には、一度仕組みがわかれば、それ以降は毎回意識しなくてもよいですよ。よくわからない疑問詞の疑問文に出会ったときに、また意識するというので問題ありません。

今井　それでいいんですね。

遠藤　文法も英語を理解するための道具ですからね。道具に振り回されるのではなくて、必要に応じて道具を使えばよいのです。

第13章　疑問詞whoの疑問文

 　who の疑問文は what と同じように考えて大丈夫。両者の違いは、知りたいものが「物」の場合は what、「人」の場合は who というものです。ただ、「誰が〜しますか？」のように who が主語になる場合は要注意！　今回はそこに注目して読み進めてくださいね。

※今回もイラストに「はてなボックス」が出てきます。「はてなボックス」の仕組みを毎回丁寧にイメージすると時間がかかるので、仕組みがわかったら、さらっと流していくことをおすすめします。

Who is/are 〜?（誰?）

Who is that boy?（あの男の子は誰ですか？）
　He is Taro.（彼は太郎です）

Who is that boy?

　who は「誰」という意味の疑問詞です。基本的に what と同じ働きをしますが、what が主に物事に用いられるのに対して、who は人にだけ用いられるという違いがあります。

　答えの文では、疑問文の that boy（あの男の子）を、代名詞 He（彼）で引き継いで答えます。

Who do you 〜?（誰を?）：who が目的語の疑問文

Who do you like?（あなたは誰が好きですか？）
　I like Taro.（私は太郎が好きです）

　この疑問文では、疑問詞 who が目的語になっています。

Who+動詞(-s) 〜?（誰が?）：who が主語の疑問文

Does Taro like orange juice?（太郎はオレンジジュースが好きですか？）

Who likes orange juice?（誰がオレンジジュースが好きですか？
／オレンジジュースが好きなのは誰ですか？）

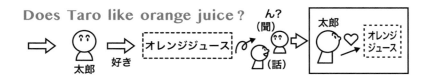

Who likes orange juice?

　疑問詞 who が主語になる疑問文です。しかし、語順が「主語＋動詞〜？（Who likes 〜?）」となっていて、一見すると疑問文になっていないように感じられますね。これについて、つくり方から確認していきましょう。

　疑問詞 who が主語になる疑問文のつくり方は、まずわからない人を who にして文頭にもってきて、その後は疑問文の語順のまま続けます。

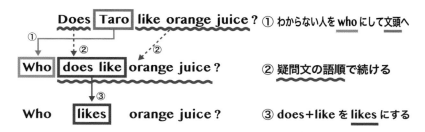

　違うのは、そこから does like を likes にするところです。これは、do/does の後に一般動詞が続く場合、それらをまとめてしまうのがふつうだからです。

Who likes orange juice?

does + like

聞き手に尋ねる　動作を表す

つまり、Who likes orange juice? の likes に「聞き手に尋ねる」働きをする does が含まれているので、ちゃんと疑問文になっているというわけです。

　ただ、つくり方はそうなっていると言っても、毎回イラストのようなステップを思い描くのは大変なので、疑問詞が主語になる疑問文では「疑問詞＋動詞〜？」になると覚えてしまったほうが早いでしょう。

　なお、疑問詞は3人称単数扱いのため、動詞に3単現の s をつけることに注意してください。

```
┌─ ポイント ─────────────────────┐
│                                │
│  疑問詞が主語になる疑問文：     │
│  「 疑問詞 ＋ 動詞 〜？」で表す │
│    （主語）  （3単現の s）     │
│                                │
└────────────────────────────────┘
```

■ Who ＋動詞 (-s)〜？への答え方

Who likes orange juice?（誰がオレンジジュースが好きですか？）
　Taro does.（太郎です）

　疑問詞 who が主語の疑問文には「主語＋ do/does.」で答えます。しかし、どうして do/does で答えるのでしょうか。Taro likes orange juice. という答えと比較して考えてみましょう。

■ Taro likes orange juice. と Taro does. の違い

Taro likes orange juice.（太郎はオレンジジュースが好きです）
Taro does.（太郎がそうです）

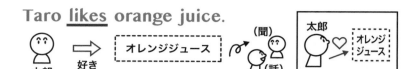

Taro likes orange juice.

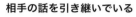

相手の話を引き継いでいる

Taro does.

　両方とも質問に答えていることに変わりはないのですが、Taro does. の方が相手の話を引き継いでいる（＝相手の質問にちゃんと答えている）感じが強くなります。

　英語では答えるときに前述の人や物を引き継ぐ代名詞を使うことを説明してきましたが、これと同じ感覚で相手の話に出てきた動きを引き継ぐために do/does を使っている、と捉えるとよいでしょう。

┌─**ポイント**─────────────

疑問詞が主語の疑問文には「 主語 + do / does .」で答える

└────────────────────────

> "Who is that big man with a beard?" "He is Mr. Imai."
> （「あのひげを生やした大男は誰ですか？」「彼は今井くんです」）
> "Who cleans this room every day?" "I do." （「毎日、誰がこの部屋を掃除していますか？」「私です」）
> ※ beard「あごひげ」

第14章 疑問詞 where, when, which の疑問文

今回は「いつ？」「どこ？」「どれ？」を表す疑問詞 where, when, which について確認していきましょう。where, when は副詞なので、文末で「落とす」ことがポイントです。パターンは同じなのでポイントをおさえて、ささっと進めていきましょう。

Where is/are 〜?（どこ？）

Where is Taro?（太郎はどこにいますか？）
　He is in his room.（彼は部屋にいます）

　where は「どこ」という意味の疑問詞です。where は場所に対して用います。

ポイント
場所がわからない場合 → **where**

場所を答えるときは「前置詞＋場所」などで表します。

・on the desk （その机の上に）

・at the station （その駅で）

・in the park （その公園の中で）

・under the table （そのテーブルの下に）

> **ポイント**
>
> 場所は「<u>前置詞</u> ＋ <u>場所</u>」などで答える
> 　　　　　　　　　　　（名詞）

Where do you 〜?（どこで?）

Where do you play soccer?（あなたはどこでサッカーをします
か？）

　I play soccer in the park.（私はその公園でサッカーをします）

<u>Where</u> do you play soccer?

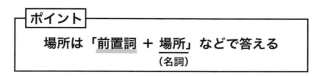

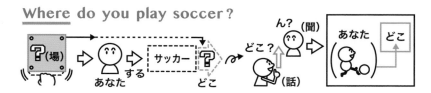

"Where is Mr. Imai?" "He is in the cafeteria."（「今井くん
はどこですか？」「彼は学生食堂にいます」）

"Where do you live?" "I live in Tokushima prefecture."
（「あなたはどこに住んでいますか？」「徳島県に住んでい
ます」）

※ cafeteria「学生食堂、セルフサービスの食堂」　prefecture「県」

When is/are 〜?（いつ?）

When is the festival?（その祭りはいつありますか？）
　It is on April sixth.（その祭りは４月６日にあります）

　when は「いつ」という意味の疑問詞です。when は時に対して用います。

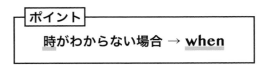

ポイント
時がわからない場合 → when

時を答えるときは「前置詞＋日時」や「副詞」などで表します。
・on Monday（月曜日に）
・in June（６月に）
・at night（夜に）
・after school（放課後に）
・tomorrow（明日）
・today（今日）

ポイント
　　　　　　　　　　（※）
時は「前置詞 ＋ 日時」や「副詞」などで答える

（※）前置詞を入れずに「日時」だけで答えることもあります。

When do you 〜?(いつ?)

When do you play soccer? (あなたはいつサッカーをしますか?)
　I play soccer on Saturday. (私は土曜日にサッカーをします)

When do you play soccer?

"When is your birthday?" "It's November third." (「あなたの誕生日はいつですか?」「11月3日です」)
"When does she study?" "She studies before dinner." (「彼女はいつ勉強しますか?」「晩ご飯の前にします」)

Which is 〜?(どれ?)

Which is your pen? (どれがあなたのペンですか?)
　This is my pen. (これが私のペンです)

Which is your pen?

　which は「どれ」という意味の疑問詞です。which は複数ある中からどれかわからないものに対して用います。
「どれ?」という質問に対しては、どれなのか特定する this や that を使って答えます。

複数ある中から、どれかわからない場合 → which

Which do you 〜?（どれ？）

Which bag do you want?（あなたはどのバッグが欲しいですか？）
　I want **this one.**（私はこのバッグが欲しいです）

Which bag do you want?

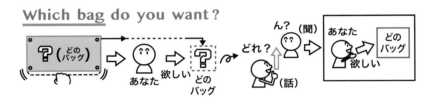

　答えの this one は this bag のことです。代名詞として使われる
one は、前述の単語の代わりをしています。

"Which is your smartphone?" "This is mine."（「あなたの
スマホはどちらですか？」「これが私のです」）
"Which do you like, Pikachu or Eevee?" "I like Eevee."
（「ピカチュウとイーブイ、どちらが好きですか？」「イー
ブイが好きです」）
※ Pikachu「ピカチュウ」　Eevee「イーブイ」（ポケモンの名前）

【補足】代名詞 one について

例文	one の働き
Where is my pen？ I need <u>one</u>. （私のペンはどこ？ペンが必要です） （a pen）	・前述の単語の代わり ・どれか１つを表す
A：Which bag do you want？ （あなたはどのバッグが欲しいですか？） **B：I want this <u>one</u>.**（bag） （私はこのバッグが欲しいです）	・前述の単語の代わり ・１つを表す

　代名詞 one は基本的に「どれか１つ」を表します。そのため、例文 I need one. の one は a pen のことを表しています。

　ただし、this のような特定する働きの単語と一緒に用いられると「特定された１つ」を表すようになります。

■ 代名詞 one と it の違い

Where is my pen? I need <u>it</u>.（私のペンはどこ？そのペンが必要です）
Where is my pen? I need <u>one</u>.（私のペンはどこ？ペンが必要です）

my pen （私のペン）	a pen （１本のペン）
I need <u>it</u>.	I need <u>one</u>.
前述の物そのもの	前述の単語の代わり

　代名詞 it は前述の物そのものという「特定のもの」を表しますが、代名詞 one は前述の単語の代わりなので「不特定のもの」を表すという違いがあります。

第15章　疑問詞howの疑問文

「疑問詞の疑問文」も今回で最後。ここでは how を扱います。how には「どう？」「どうやって？」「どのくらい？」という３つの意味があり、１つの日本語訳だけでは収まってくれません。少し面倒くさいですが、３パターン確認しておきましょう。

How is/are 〜?（どう？）

How is the weather?（天気はどうですか？）
  It is sunny.（晴れています）

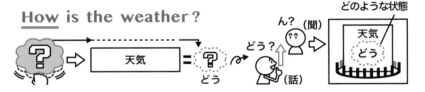

　how は「どう」と尋ねるときに使います。How is/are 〜？ で「〜はどのような状態ですか？／〜はどうですか？」と天候や調子などを尋ねることができます。

> **ポイント**
>
> **How is / are ~?** : 　天候や調子などを尋ねる
> **（どう？）**

How do you 〜?（どうやって?）

How do you go to school?（あなたはどうやって学校に行きますか？）

I go to school by bus.（私はバスで学校に行きます）

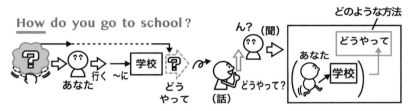

　How do you 〜? で「どのような方法で〜？／どうやって〜？」と方法を尋ねることができます。答えるときは by bus のように方法を答えます。

　　・by bike（自転車で）
　　・by train（電車で）
　　・on foot（徒歩で）

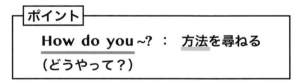

ポイント

How do you ~? ：　**方法を尋ねる**
（どうやって？）

How+形容詞/副詞 〜?（どのくらい?）

How many cats do you have?（あなたは猫を何匹飼っていますか？）

I have two.（私は2匹飼っています）

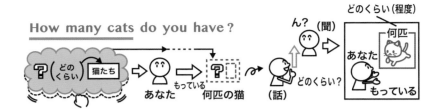

　How many cats は「どのくらいの数の猫たち」→「何匹の猫」という意味になります。How ＋形容詞 / 副詞 〜？ で「どのくらい〜？」と程度を尋ねることができます。

・How old 〜？（どのくらい古い？／何歳？）

・How much 〜？（どのくらいの量？／値段はいくら？）

・How long 〜？（どのくらい長い？）

・How tall 〜？（どのくらい高い？）

・How often 〜？（どのくらいの頻度？）

> ### ポイント
>
> **How ＋ 形容詞 / 副詞 ~？ ： 程度を尋ねる**
>
> **（どのくらい？）**

"How are you?" "Not bad." （「調子はどう？」「悪くないよ」）

"How do you learn English?" "I listen to audiobooks in English on my smartphone." （「どうやって英語を学んでいますか？」「スマホで英語のオーディオブックを聞いています」）

"How many drones does Mr. Imai have?" "He has four." （「今井くんはドローンをいくつもっていますか？」「４つもっています」）

※ audiobook「オーディオブック（書籍を朗読した音声コンテンツ）」

第16章　命令文

　疑問詞おつかれさまでした！　さて、今回のテーマは命令文。命令文は、相手に動作を提示するようにイメージするのがコツです。ふつうの文と比較しながら確認していきましょう。

命令文とは

ふつうの文：I open the window.（私はその窓を開けます）
命令文：Open the window.（その窓を開けなさい）

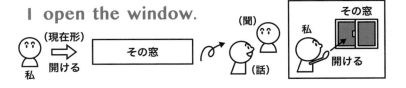

　英語の命令文は「〜しなさい」という意味を表します。命令文では、主語を省略し、動詞は原形を用います。

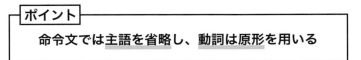

> **ポイント**
> **命令文では主語を省略し、動詞は原形を用いる**

主語を省略することは「聞き手にストレートに動作を提示する」こと、動詞の原形を用いることは「その動作がまだ現実のものになっていない」ことに対応します。

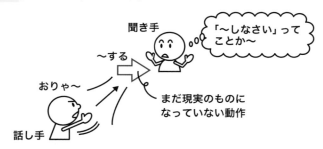

　まだ現実のものになっていない動作を聞き手にストレートに提示するイメージから、命令文の「～しなさい」という意味が出てきているわけです。

┌─ ポイント ─┐
命令文 ＝ <u>まだ現実のものになっていない</u>動作を
　　　　　　<u>聞き手にストレートに提示する</u>文

命令文のもつ様々なニュアンス

Be a good boy.（よい子にしていなさい／よい子でいるんだよ）

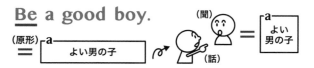

　be 動詞（am, are, is）の原形は be です。be 動詞の文でも、主語を省略し、動詞は原形にすることで「～しなさい」という意味を表すことができます。

さて、英語の命令文は、まだ現実のものになっていない動作を聞き手にストレートに提示する文です。そのため、口調によって「命令」以外のニュアンスを表すこともできます。

例文の Be a good boy. で考えてみましょう。たとえば、公共の場で騒いでいる男の子に対して Be a good boy! とキツく言えば「よい子にしていなさい！」という命令的なニュアンスになります。

一方で、出張などで家をしばらくあける父親が息子に対して Be a good boy. と穏やかに言えば「よい子でいるんだよ」という確認的なニュアンスになります。

このように同じ命令文でも、口調によってニュアンスは変わります。命令文がもつ様々なニュアンスについて、いくつか例文をあげておきます。

・Taro, use my pen.（太郎、私のペンを使いなよ）【提案】
・Close the door, please.（そのドアを閉めてください）【依頼】
・Go straight, and turn right...（まっすぐ行って、それから右に曲がって…）【指示】

否定の命令文

■ 一般動詞の場合

Don't open the window.（その窓を開けてはいけません）

一般動詞の場合は「Don't ＋動詞の原形」という形で、「〜してはいけません」という禁止の意味を表します。

■ be 動詞の場合

Don't be afraid.（恐れてはいけません）

　be動詞の場合は「Don't be ～」という形で、「～してはいけません」という禁止の意味を表します。

　be は be 動詞の原形なので、否定の命令文については「Don't ＋動詞の原形」で統一的に表せることになります。

┌─ ポイント ──────────────────────────┐
│　**Don't ＋ 動詞の原形（～してはいけません）【禁止】**　│
└──────────────────────────────────┘

その他の命令文 Let's

Let's play soccer.（サッカーをやりましょう）

　「Let's ＋動詞の原形」という形で、「（一緒に）～しましょう」という勧誘の意味を表します。

Be reasonable. Act like a man. （君も男なら、聞き分けたまえ）※

Let's go to Tokyo Disneyland. （東京ディズニーランドに行きましょう）

※ジブリ映画『天空の城ラピュタ』に登場するムスカ大佐のセリフ。

reasonable「合理的な、道理をわきまえた」という意味で、直訳は「聞き分けたまえ。男らしくふるまうのだ」となる。

第16章

命令文

ことばの研究室

■ 動詞の原形と現在形の違い

今井 主語を省略して動詞を原形にしたら、「まだ実現していない動作を聞き手に提示する」ことになるという話でしたよね。なんとなく言いたいことはわかるのですが、もう少し説明してもらえますか？

遠藤 いいですよ。本文で扱った例文を元に「主語の省略」と「動詞は原形」の2つに分けて確認していきましょう。

ふつうの文：I open the window.（私はその窓を開けます）
命令文：Open the window.（その窓を開けなさい）

　まず「主語の省略」についてですが、ふつうの文では「主語＋動詞」と並べて状況描写をしていますよね。しかし、命令文には主語がありません。そのため、動詞が聞き手にストレートに提示されることになるわけです。

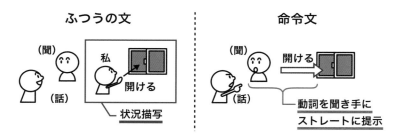

今井 うん、これについては大丈夫です。

遠藤 次は「動詞は原形」についてですが、ポイントは「原形」と「現在形」がどう違うのかです。これらの違いは次のようになります。

・動詞の原形…まだ実現していない動作
・動詞の現在形…実際のリアルな動作＋現在のことを表す

今井 「原形」は動作が描かれている単語カードのような感じですかね。そして、実際に誰かがその動作をやっている場合は「現在形」になる、みたいな。

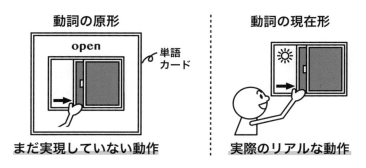

動詞の原形

open

単語カード

まだ実現していない動作

動詞の現在形

実際のリアルな動作

遠藤　上手い表現ですね。その表現を使って、例文で確認してみましょうか。

　ふつうの文では現在形 open が使われているので、実際に窓を開ける状況を描写していることになります。一方で、命令文では原形 open が使われているので、open の単語カードを聞き手に提示している感じになりますね。

今井　単語カードを提示するのはわかりやすいですね。上手く表現できて個人的に満足です（笑）

■ 日本語と英語における命令文の違い

遠藤　せっかくなので、日本語と英語における命令文の違いも確認しておきましょう！

Open the window.（その窓を開けなさい）

今井　なんだか楽しそうですね（笑）　それはさておき、日本語の「その窓を開け」まではいつも通りですが、「なさい」で命令している感じになりますか？

遠藤　そうです。ふつうの文だと「その窓を開け」→「ます」のように状況描写にしてしまうところですが、そのまま「なさい」と続けることで、状況描写にしないで聞き手に命令することになります。つまり、すべて「聞き手とのやりとり」にしてしまうわけです。

その窓を開けなさい

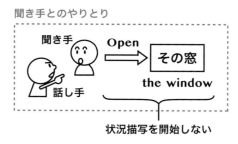

今井　なるほど。そうすると、英語の方もすべて「聞き手とのやりとり」になっていそうですね。

遠藤　その通りです。最初の Open は原形なので、聞き手に動作を提示していますよね。これは当然「聞き手とのやりとり」になります。そして、open を受ける the window がそのまま続くので、状況描写を開始しないまま終わるわけです。

Open the window.

今井　それって動詞の原形だと状況描写が始まらないってことですよね。逆に言えば、現在形だと状況描写が始まるってことでしょうか？

遠藤　そうです。動詞の現在形を使うと「状況描写モード」のスイッチが入るようなイメージで捉えておくといいですよ。

第17章　現在形と現在進行形

　これまで何気なく出てきた現在形ですが、実は日本語と大きく異なっているところがあります。ポイントは、英語の現在形には「いつからいつまでという時間的な区切りがない」ことです。逆に、時間的な区切りをつけたいときは現在進行形を用います。ここに注目しながら読み進めていってください。

現在形

He plays soccer every Sunday.（彼は毎週日曜日にサッカーをします）

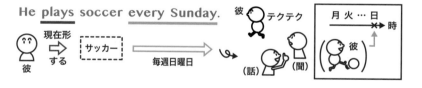

　例文のように「主語（He）＋動詞（plays）」と並べることで、現在の状況を描写することができます。このときの動詞の形を「現在形」と呼びます。

　実は、英語の現在形にはいつからいつまでという時間的な区切りがありません。そのため、動作を表す動詞を現在形で使うと「いましていること」ではなく「普段していること」を表すことになります。

He plays soccer.（彼は普段サッカーをします）

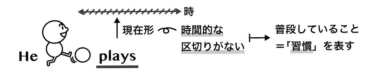

　He plays soccer という文から、彼が普段サッカーをしていることはわかりますが、それだけでは「いつ・どれくらいやっているのか」はわかりません。そのため、ふつうは every Sunday のような説明を加えて、いつ・どれくらいやっているのかを明確にします。

ポイント

英語の現在形には、いつからいつまでという
時間的な区切りがない

I drink milk tea every morning.（私は毎朝ミルクティーを飲みます）
The earth goes around the sun.（地球は太陽の周りを回っています）

【補足1】現在形について

　現在形は「いつからいつまでという時間的な区切りがない」と説明しましたが、これは必ずしも「永遠に続く」という意味ではありません。

I am happy.（私は幸せです）

　この文は現在形ですが、当然「ずっと幸せです」という意味ではありません。いつから幸せだとか、いつまで幸せなのかのような時間的な制限をしていないだけです。

　時間的な制限をつけずに表現するのが、現在形だというわけです。

【補足2】これまで出てきた例文について

　これまでの解説で、次のような例文を用いてきました。

I play soccer.（私はサッカーをします）
I open the window.（私はその窓を開けます）

　これらは正しくは「私は普段サッカーをします」「私は普段その窓を開けます」という意味です。そして、当然ながらこれだけでは「普段ってどれくらい？」となるので、実際の会話では次のような説明を加えるのがふつうです。

I sometimes play soccer.（私は時々サッカーをします）
I open the window every morning.（私は毎朝その窓を開けます）

　これまでの解説において、このような説明語句を省略してきたのは、解説したい英文構造に焦点を合わせるためです。後出しの説明で恐縮ですが、趣旨をご理解いただければと思います。

現在進行形

現在形：**He plays soccer every Sunday.**（彼は毎週日曜日にサッカーをします）

現在進行形：**He is playing soccer.**（彼はサッカーをしているところです）

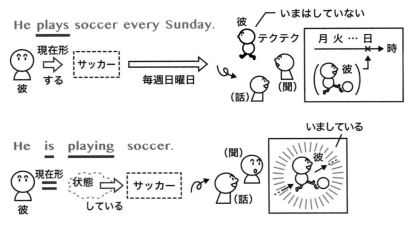

　現在形の文は「普段していること」を表しているのに対して、現在進行形の文は「いままさにしていること」を表しています。

　現在進行形は「be 動詞の現在形＋動詞の ing 形」を組み合わせたものです。動詞の ing 形は「現在分詞」とも呼びますが、そのイメージを確認しておきましょう。

動詞の ing 形（現在分詞）のイメージ

状態
ゴール
スタート
動作

【特徴】
・状態と動作をあわせもつ
・時間的な区切りをもつ

（まさに）〜している状態

　動詞の ing 形は「（まさに）〜している状態」を表します。動詞の ing 形の特徴として「状態と動作をあわせもつ」「時間的な区切りをもつ」があります。

　be 動詞の現在形だけだといつからいつまでという時間的な区切りがありませんが、これに時間的な区切りをもつ動詞の ing 形を加えることで、「いましていること」を表しているわけです。

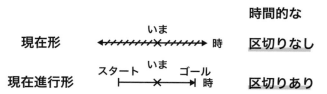

時間的な

現在形　　　　←いま→　時　　区切りなし

現在進行形　スタート いま ゴール 時　区切りあり

┌─**ポイント**─────────────────────────┐
│　**現在進行形**
│　**be 動詞の現在形 + 動詞の ing 形（〜しているところ）**
└────────────────────────────────────┘

特別な形の動詞のing形

　多くの一般動詞の ing 形は -ing をつけるだけですが、それ以外のパターンもあります。

① -e → -ing にする 　語尾が「子音＋-e」	write（書く）⇨ writing take　（取る）⇨ taking use　　（使う）⇨ using
② 子音を重ねて ing をつける 　語尾が「短母音＋子音」	run　（走る）⇨ running cut　（切る）⇨ cutting swim（泳ぐ）⇨ swimming
③ -ie → -ying にする	die　（死ぬ）⇨ dying

現在進行形の否定文・疑問文

■ 否定文

He is not playing soccer.（彼はサッカーをしているところでは
ありません）

　現在進行形は be 動詞の文なので、否定文は be 動詞の後に not
を入れてつくります。

■ 疑問文

Is he playing soccer?（彼はサッカーをしているところですか？）
　Yes, he is.（はい、サッカーをしているところです）
　No, he isn't.（いいえ、サッカーをしているところではありま
　せん）

　現在進行形の疑問文は be 動詞を主語の前に出してつくります。
また、現在進行形の疑問文には be 動詞で答えます。

現在進行形の疑問詞の疑問文

What are you doing?（あなたは何をしているところですか？）
I am studying English.（私は英語を勉強しているところです）

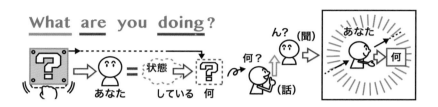

　疑問詞を使った疑問文はまずわからないものを what にして文頭にもってきて、その後は現在進行形の疑問文の語順で続けます。

　なお、答えの文にあるように study の ing 形は studying です。3単現で studies とすることもあってか、studing としている間違いをたまに見かけるので、ご注意ください。

> Please be quiet. I'm working.（静かにしてね。仕事をしているところだから）
> Mr. Imai is flying a drone.（今井くんはドローンを飛ばしているところです）
> ※ fly「〜を飛ばす」

ことばの研究室

■ What do you do? はどういう意味？

今井　意外と現在形の方が難しかったですね。

遠藤　現在形は難しいですよね。別の例文で、もう一度確認しておきましょうか。今井くんに質問ですが、英語ネイティブに What do you do? と言われたら、どういう意味だと思いますか？

今井　直訳したら「何をしますか？」ですよね。「いま何をするの？」とか「これから何をするの？」というように聞かれているのかなと思います。

遠藤　うーん、残念。これは現在形なので「普段何をしますか？」という意味であって、慣用的に「職業は何ですか？」と聞いていることになります。

今井　あー、そうか。現在形は「普段」を表すのでしたね。　……あれ？でも、現在形でも「普段」って訳をつけないときもありますよね。

遠藤　そうですね。状態を表す動詞の場合は、現在形でも「普段」という訳をつけません。たとえば、I like coffee. は「私はコーヒーが好きです」となります。

　一方で、動作を表す動詞の場合は、現在形のとき「普段」という訳をつけます。本文でも取り上げましたが、I play soccer. は「私は普段サッカーをします」となります。

今井　状態を表す動詞と、動作を表す動詞で変わるのか。

遠藤　どちらも「いつからいつまでという時間的な区切りがない」という点では共通しているのですが、動作を表す動詞の場合は日本語訳するときに工夫しないといけないわけですね。

■ 日本語と英語における現在形の違い

今井　そう考えると、日本語側の問題ってことなのでしょうか？

遠藤　正確に言えば、日本語の現在形と英語の現在形では違っていると

ころがある、ということですね。以下の例文で、その違いを確認してお
きましょう。

英語：**What do you do?**（普段何をしますか？）
日本語：**何をしますか？**

今井　さっきも言いましたけど、日本語の「何をしますか？」の方は「い
ま」や「これから」という言葉を補いたくなりますね。
遠藤　実はそれには理由があるのです。第3章で、日本語は「話し手が
場に入り込んで、そこから見える物事を表現している」と説明しました
よね。

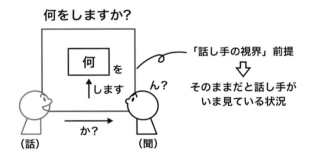

　つまり、日本語は何も言葉を加えなければ「話し手がいま見ている状
況」を表すことになるので、「いましていること」や「これからすること」
と解釈するのが自然になるわけです。
今井　なるほど。逆に日本語で「普段」のことを言いたいときは、ちゃ
んと「普段」という言葉を加えなければいけないというわけか。
遠藤　その通りです。一方で、英語は「真っ白なキャンバス」に状況描
写しているようなものです。そのため、英語はそのままだと「いつから
いつまでという時間的な制限がない」ことになります。

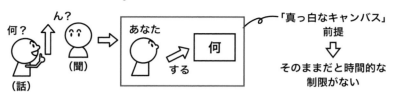

What do you do?

今井　英語の方は何も言葉を加えなければ、「普段」のことだと解釈するのが自然だというわけですね。で、逆に「いま何をしていますか？」のように「いま」という制限を加えたいときは、What are you doing? のように現在進行形にするということですか。

遠藤　そうですね。日本語と英語における現在形の違いも、大元をたどれば前提となる物の見方が違っているところに行き着くわけです。

第18章　過去形（一般動詞）

　現在形の次は過去形です。まず一般動詞の過去形ですが、ここでのポイントは「特別な形になる動詞の過去形」です。どのような形になるのかを確認しておきましょう。

過去形とは

I played soccer yesterday.（私は昨日サッカーをした）

　例文の played を「過去形」と呼びます。英語では過去形にすることで過去のことを表します。

第18章

過去形（一般動詞）

```
        ┌─ ポイント ─┐
一般動詞の過去形（基本）: play ⟹ played
```

多くの動詞は、原形に -ed をつけることで過去形にします。一般動詞の現在形では３単現の s のように人称による語形変化がありましたが、一般動詞の過去形では人称による語形変化はありません。

（過去形）	単数	複数
１人称	I played	We played
２人称	You played	
３人称	He,She,It played	They played

└─３人称単数でも他と同じ形

　過去のいつのことなのかを表すため、次のような語句が過去形と一緒によく使われます。
・yesterday（昨日）
・last week（先週）
・two years ago（２年前）

規則動詞の変化

　過去形が play → played のように -ed の形になる動詞を「規則動詞」と呼びます。規則動詞の変化で特別な形になるものを確認しておきましょう。

① -e→-ed にする	live（住む）⇨ lived use（使う）⇨ used
② -y→-ied にする 　　語尾が「子音＋-y」	study（勉強する）⇨ studied cry（泣く）⇨ cried
(注) 語尾が「母音＋-y」なら 　　そのまま -ed をつける	play（する、遊ぶ）⇨ played stay（留まる）⇨ stayed
③ 子音を重ねて -ed をつける 　　語尾が「短母音＋子音」	stop（止まる）　⇨ stopped plan（計画する）⇨ planned

不規則動詞の変化

　過去形が -ed の形にならない動詞を「不規則動詞」と呼びます。不規則動詞は日常的に使われる動詞に多く、1つ1つ覚えるしかありません。

英単語	意味	過去形
buy	買う	bought
come	来る	came

do	する	did
give	与える	gave
go	行く	went
have	もっている	had
sit	座る	sat
take	取る	took
make	作る	made

過去の否定文

I didn't play soccer yesterday.（私は昨日サッカーをしなかった）

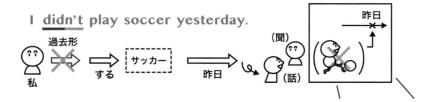

　一般動詞の過去形の否定文をつくるときは、一般動詞の前に did not (=didn't) を入れて、その後の一般動詞は原形にします。

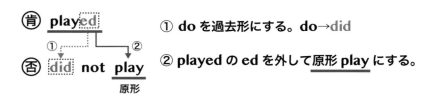

① do を過去形にする。do→did

② played の ed を外して原形 play にする。

┌ **ポイント** ┐
　一般動詞の過去の否定文：did not ＋ 原形
　　　　　　　　　　　　　　(didn't)

過去の疑問文

Did you play soccer yesterday?（あなたは昨日サッカーをしましたか？）

    Yes, I did.（はい、しました）

    No, I didn't.（いいえ、しませんでした）

    一般動詞の過去形の疑問文をつくるときは、Did を主語の前に入れます。「Did ＋主語＋原形〜?」という形にします。

┌─**ポイント**─────────────────────────┐

    一般動詞の過去の疑問文：Did ＋ 主語 ＋ 原形 〜?

└───────────────────────────────────┘

Did から始まる過去の疑問文には、did で答えます。

┌─**ポイント**───────────────┐

    Did の疑問文には **did** で答える

└─────────────────────────┘

過去形（一般動詞）

Mr. Imai watched "Whisper of the Heart" with his friend from Germany.（今井くんはドイツ人の友だちと『耳をすませば』を観ました）

He came into the room, took off his jacket, and sat down.（彼はその部屋に入り、ジャケットを脱いで、座りました）

第19章　過去形(be動詞)

一般動詞の過去形に続いて、be動詞の過去形を見ていきましょう。今回は「am/is → was」と「are → were」を覚えればOKですよ。

be動詞の過去形

I was busy.（私は忙しかった）

wasはbe動詞の過去形です。be動詞の過去形は、過去の状態や存在を表すときに使います。

be動詞の過去形は、人称によって形を変えて使います。

（過去形）	単数	複数
1人称	I was	We were
2人称	You were	
3人称	He,She,It was	They were

> **ポイント**
>
> **be 動詞の過去形 : am / is ⇨ was**
> **are ⇨ were**

be動詞の過去の否定文・疑問文

■ 否定文

I was not busy.（私は忙しくなかった）

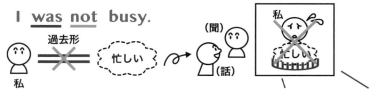

　否定文のつくり方は現在形のときと同じで、be 動詞の後に not を入れてつくります。なお、短縮形は was not → wasn't、were not → weren't となります。

第19章

過去形（be 動詞）

■ 疑問文

Were you busy?（あなたは忙しかったですか？）
　　Yes, I was.（はい、忙しかったです）
　　No, I wasn't.（いいえ、忙しくなかったです）

　疑問文は be 動詞を主語の前に出してつくります。また、答える
ときは be 動詞で答えます。

> Mr. Imai wasn't a good student.（今井くんは良い生徒では
> ありませんでした）
> "Were they at the party?" "No, they weren't."（「彼らは
> パーティーにいましたか？」「いいえ」）

気分転換に

音声を聞くのもいいぞ

す・ご・い

ここまで読めたの？

君はすごいな！

今井

中1の内容を終えたんだぜ

1年分だよ？すごすぎだろ

ん？よくわからないところもあった？

安心しろオレもよくわからん！

とりあえず休けいだ

ふ～

ちゃんと休んでから次へいこうな

▼ 読者特典URL

英会話エクスプレス出版　検索

→「中学英語イメージリンク」へ
https://www.eikaiwa-express.
com/junior-high-school-gram
mar-imagelink/

▼ 読者特典メニュー

・英文の読み上げ音声（mp3）
・動詞の活用表（pdf）
・ポイント一覧（pdf）
・本文で省略した解説（pdf）
・本文で省略した例文イラスト（pdf）

▼ 読者特典パスワード

20210713

※一部の読者特典にはパスワードが必要です。

第20章　過去進行形

　現在進行形（be 動詞の現在形＋動詞の ing 形）は「いましていること」を表していましたね。この be 動詞のところを過去形にしたものが過去進行形です。過去進行形は「過去のある時にしていたこと」を表します。

過去進行形

He was playing soccer then.（彼はそのときサッカーをしていました）

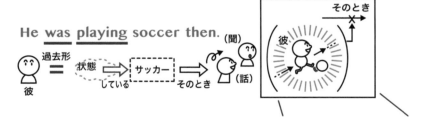

　過去進行形は「be 動詞の過去形＋動詞の ing 形」を組み合わせたもので、意味は「〜していました」となります。

　「過去のこと」を表す be 動詞の過去形に、「（まさに）〜している状態」を表す動詞の ing 形を組み合わせることで、過去進行形は「過去のある時に進行中だった動作」を表しています。

ポイント

過去進行形
be 動詞の過去形 ＋ 動詞の ing 形（〜していました）

過去進行形の否定文・疑問文

■ 否定文

He was not playing soccer then.（彼はそのときサッカーをしていませんでした）

　過去進行形は be 動詞の文なので、否定文は be 動詞の後に not を入れてつくります。

■ 疑問文

Was he playing soccer then?（彼はそのときサッカーをしていましたか？）

　Yes, he was.（はい、サッカーをしていました）

　No, he wasn't.（いいえ、サッカーをしていませんでした）

　過去進行形の疑問文は be 動詞を主語の前に出してつくります。

Mr. Imai was sleeping in class.（今井くんは授業中に寝ていました）

"What were you doing at 8:00 p.m. yesterday?" "I was reading a book."（「昨日の午後8時にあなたは何をしていましたか？」「本を読んでいました」）

※ in class「授業中に」

第21章　that節

　今回のテーマは「that 節」です。that 節なんて聞くと、急に難しそうな気がしてしまいますよね。でも、その正体は I think that 〜（私は〜だと思う）の「that 〜」部分のことです。ここでは、この that がどういう働きをしているのか説明します。

that節とは

I think that Taro is busy.（私は太郎は忙しいと思う）

　I think that 〜 . は「私は〜だと思う」という意味になります。また例文の that Taro is busy の部分を「that 節」と呼びます。

例文は I think（私は思う）→ that（その内容は…）→ Taro is busy（太郎は忙しい）という流れになっています。I think that の that はこれから考えている内容を述べる「目印」になっているとも言えます。

┌─ **ポイント** ─────────────────┐
│ **I think that ～（私は～だと思う）** │
└────────────────────────────┘

■ **that 節をよくとる動詞**

　・I know that ～（私は～ということを知っている）
　・I hope that ～（私は～ということを望んでいる）
　・I believe that ～（私は～だと信じている）
　・I realized that ～（私は～だとわかった）
　・I said that ～（私は～だと言った）

that の省略

I think Taro is busy.（私は太郎は忙しいと思う）

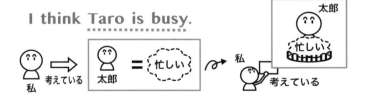

think の後にはたいてい「考えている内容」が続くので、目印の that がなくても基本的に問題にはなりません。このため、that 節の that はよく省略されます。

時制の一致

Taro said that he was busy.（太郎は忙しいですと言った）

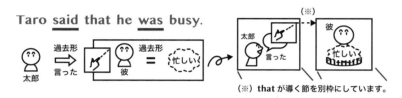

（※）that が導く節を別枠にしています。

　太郎が話した内容がそのとき忙しかったことであれば、he was busy のように過去形を使います。これを「時制の一致」と呼びます。

　しかし、英語だけを見ればわざわざ「時制の一致」と呼ぶほどでもない気がしますよね。実はこの「時制の一致」は、日本語と英語のズレを説明したものなのです。

　英語では said（過去形）と was（過去形）と時制が一致していますが、日本語では「忙しいです」（現在形）と「言った」（過去形）のように時制がズレています。

時制の一致とは、日本語から英文をつくるときに、日本語の時制に引きずられて He said that he is busy. としないように気をつけるべき注意事項というわけです。

ポイント

時制の一致：that 節の内容が
　　　　　　過去のことであれば過去形を使う

I think Mr. Imai likes udon. （今井くんはうどんが好きだと思う）

I knew that he was a student. （私は彼が学生だと知っていた）

ことばの研究室

■ that（あれ）が that 節として使われる理由

今井　that って「あれ」という意味だったと思うんですが、どうして that 節のような使い方が出てきたんでしょうか？

遠藤　今井くんの言う通り、元々 that は遠くを指さして「あれ、あの」と指示する単語でした。ポイントは、この「遠くを指さす」のが距離的に遠いものだけではなく、心理的に遠いものに対しても使えるということです。

今井　心理的？　うーん、具体例をあげてもらえますか？

遠藤　たとえば「まだ知らないこと」などは遠くにあるように感じられますよね。

今井　あー、「知っていること」が身近にある感じなのと逆ですね。

遠藤　そうです。I thik that の that は、聞き手から心理的に遠い「私の考え」（＝聞き手がまだ知らないこと）を指さして、その内容を導く働きをしているわけです。

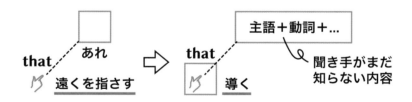

■ 時制の一致に見る日本語と英語の違い

今井　時制の一致って大嫌いな英文法の１つだったのですが、いま聞いてみるとそんなに難しい内容ではなかったのですね。むしろ、話した内容が過去のことだったら過去形にするって当たり前のことですよね。

遠藤　そうですね。時制の一致は日本語と英語におけるズレを説明したものなので、日本語と英語を行き来するときに知っておくとよいことです。

今井　日本語と英語でズレているということですが、これも物の見方の違いからきているのですか？

遠藤　その通りです。せっかくなので、以下の文で日本語と英語でどのように物を見ているのかを確認しましょう。

Taro said that he was busy.（太郎は忙しいですと言った）

まず日本語訳のイメージから説明しますね。「忙しいです」の部分ですが、これはいまその場で太郎がそう話している感覚で使われています。そして、「と言った」の部分で、話し手がその内容を過去のことにしているわけです。

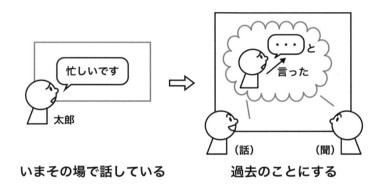

いまその場で話している　　過去のことにする

今井　現在形で「忙しいです」と述べた内容自体を、「と言った」で過去のことにしてしまっているんですね。

遠藤　そうです。日本語では内容に応じて視点が切り替わっているとも言えます。「忙しいです」は太郎の視点で表現されたもので、「と言った」は話し手の視点で表現されたものです。

このように日本語ではその場その場に入り込んで、そこでの内容をそのまま再現するので、過去の話であっても「忙しいです」のような現在形が混じってくるのです。

今井　なるほど。これまで意識したことはありませんが、言われてみればそうですね。

遠藤　次に英文のイメージを説明します。Taro said that なので、太郎

が言ったのは過去のことです。そして he was busy で太郎が言った内容もそのまま過去のこととして述べています。

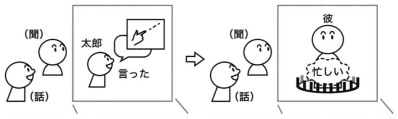

太郎が言ったのは過去のこと　　内容も過去のことなので過去形

　つまり、英語では常に現在から物事を眺めています。立ち位置が動かないので said、was と両方とも過去形になっているわけです。

常に現在から物事を眺めている
＝立ち位置が動かない

今井　英語ではその場に入り込まずに、常に一歩引いた状態で見ているということですね。
遠藤　その通りです。このような物の見方の違いから、日本語と英語のズレが発生していたわけなのです。

第22章 There構文(There is/are 〜)

「〜がある」といえば There is/are 〜 が有名です
よね。でも、実は There 構文は「聞き手を新しい
話題へ導く」ときに使うものなのです。There 構文
のイメージとあわせて確認していきましょう。

There is/are 〜 の意味

There is a big tree in the park.(その公園には大きな木があります)

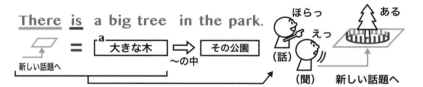

　There is 〜 を「There 構文」と呼び、「〜がある」という意味に
なります。There 構文のポイントは「聞き手を新しい話題へ導く」
ところにあります。

There 構文

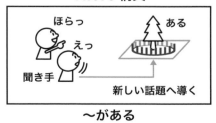

話し手は、最初の There で聞き手を新しい話題へ導きます。そして、その内容を is で「あるんだよ」、a big tree で「大きな木が」と表しているわけです。

■ 後述の主語が複数形のときは There are を使う

There are two big trees in the park.（その公園には２本の大きな木があります）

　後述の主語（ここでは「two big trees」）が複数形であれば、be 動詞は are を用います。

> **ポイント**
> **There is / are ～（～がある）**
> **聞き手を新しい話題へ導く**

There is/are ～ の否定文

There are not any trees in the park.（その公園には木が１本もありません）

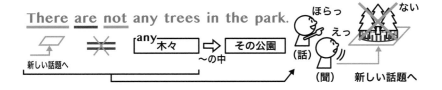

　否定文は be 動詞の後に not を入れてつくります。
　There are の否定文は any と一緒によく用いられるので、any についても確認しておきましょう。

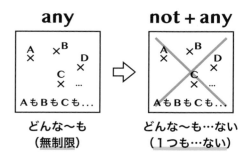

any は「どんな〜も」という意味で、無制限であることを表します。これに not を加えた not + any は「1つも…ない」という意味で、no と同じ意味になります。

There is/are 〜 の疑問文

Are there any restaurants near here?（この近くにレストランはありますか？）

　Yes, there are.（はい、あります）

　No, there aren't.（いいえ、ありません）

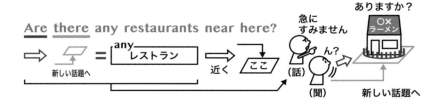

疑問文は be 動詞を there の前に出してつくります。

Once upon a time, there was an old man.（昔々、おじいさんがいました）

"Are there any problems?" "No, everything is OK."（「何か問題はありますか？」「いいえ。すべて大丈夫です」）

ことばの研究室

■ 文末の there と文頭の there の違い

今井 there って元々は「あそこに」という意味でしたよね。どうして、There is だと「聞き手を新しい話題へ導く」働きになってしまうのですか？

遠藤 there は捉えどころが難しい単語ですよね。次の例文で考えてみましょうか。

She lives there.（彼女はあそこに住んでいます）
There is a big tree in the park.（その公園には大きな木があります）

　文末の there は「あそこに」という意味ですが、正確に言えば「描いた状況を遠いところに移す」働きをしています。例文で言えば、「彼女は住んでいる」という状況を、「あそこに」と遠いところに移しているわけです。

　この there を文頭にもってきたとき、まだ何も状況描写が行われていないので、代わりに「聞き手を遠くの話題へ導く」ようになるのです。

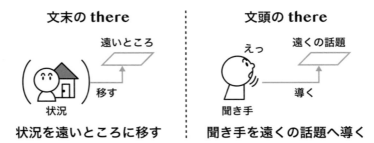

今井 この「遠くの話題」って、前回の that と同じように心理的に遠いところにある話題ってことですか？

遠藤 そうです。そして、そのような遠くにある話題として代表的なのは「新しい話題」なので、There 構文は「聞き手を新しい話題へ導く」ように働くわけです。

今井　代表的なってことは、他にもあるんですか？

遠藤　ありますよ。たとえば、「聞き手が知らないこと」や「聞き手が忘れていること」なども「遠くの話題」としてあげられます。There 構文はこのような話題を導くときにも使われます。

今井　「新しい話題」の他に「知らないこと」や「忘れていること」か……。まあ、確かに聞き手から遠いところにあるっぽい感じはしますね。

　そういえば、この構文では急に「聞き手」が出てきていますけど、この「聞き手」はどこから出てきたんですか？

遠藤　結論から言うと、最初の There は「聞き手とのやりとり」なのです。

　疑問文を思い出してほしいのですが、主語の前にもってきた be 動詞や Do が聞き手を引きつけて、それ以降の内容を尋ねていましたよね。文頭にもってきた There は、これと同じような働きをしているわけです。

今井　そういえば、英語では「状況描写」の前に「聞き手とのやりとり」が行われるんでしたね。この There は「聞き手とのやりとり」かぁ。

遠藤　そうです。聞き手とのやりとりなので、日本語訳には出てきません。それが there を捉えにくくしていたわけなのです。

■ 既に話題にしているものに対しては There 構文を使わない

遠藤　「〜がある」と言うとき、私たち日本人は条件反射的に There is を使ってしまいがちです。もちろん、大丈夫なときもありますが、違和感のある使い方をしているときもあるので、違和感のある場合を確認しておきましょう。

太郎　Where is my pencil?（僕の鉛筆はどこ？）

信一　（×）There is your pencil on that desk.

　　　（○）Your pencil is on that desk.

　この会話で There is your pencil on that desk. は違和感のある表現なのですが、どうしてなのかわかりますか？

今井　ふつうに「君の鉛筆はあの机の上にあるよ」と訳せそうですけど、

どこがダメなんですか？

遠藤　これは訳すと「君の鉛筆があの机の上にあるよ」という感じになるのです。

今井　僕の訳との違いは「君の鉛筆は」が「君の鉛筆が」になっているところですね。確かに微妙にかみ合っていない気もしますが、もう少し説明してもらえますか？

遠藤　前提として、太郎が既に「僕の鉛筆」について話題にしていますよね。一方で、There is は「聞き手を新しい話題へ導く」ときに使う表現です。

　そのため、ここで信一が There is your pencil on that desk. と言ってしまうと、太郎が言っていることをスルーして、新しい話題として「君の鉛筆が机の上にあるよ」ともち出しているような感じになってしまうのです。

今井　太郎からすれば「僕の話を聞いていなかったのかな……。でも、僕の鉛筆について場所を教えてくれているし……。なんかモヤる言い方だなぁ……」ってなりそうですね。

遠藤　そうですね。一度くらいなら「まあいいか」で済みますが、何度も繰り返してしまうと「ちゃんと話を受け止めてくれよ」となりかねません。そのため、既に話題にしているものに対しては、There 構文を使わないように注意してくださいね。

第23章　未来表現（be going to, will）

ここからは助動詞です。今回は未来を表す will と be going to です。ポイントは will が「思い」で、be going to は「進行中」を表すというもの。イメージの違いに注目しながら読み進めていってください。

be going to の意味

I am going to play soccer tomorrow. （私は明日サッカーをするつもりです）

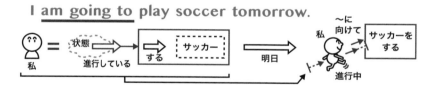

　英語では「これからのこと」を述べるときに、「be 動詞 + go の ing 形 + to」を組み合わせた be going to という形を使います。be going to は「〜するつもり」という意味になります。

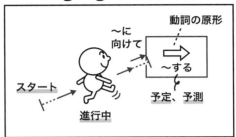

be going to のイメージ

〜に向けて

動詞の原形

〜する

予定、予測

スタート

進行中

【特徴】

✓ 既に**スタート**している

✓ いま**進行中**である

✓ **予定や予測**を表す

〜するつもりだ、〜しそうだ

　be going to は「〜することに向けて、いま進行中である」を表しています。ここから、「〜するつもりだ」や「〜しそうだ」という予定や予測の意味が出てきます。

It is going to rain tomorrow.（明日は雨が降りそうです）

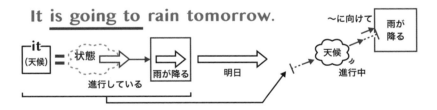

It is going to rain tomorrow.

it
（天候）

＝

状態

進行している

雨が降る

明日

〜に向けて

雨が降る

天候

進行中

　例文の It は「天候を表す it」です。このように物事を主語にした場合、be going to は「〜しそうだ」という予測を表します。

　この例文が使われる場面は、テレビの天気予報で雨雲レーダーを時間ごとに動かしながら、「明日は雨が降りそうです」と話しているようなときです。雨雲が向かってきている状態を表しているので、be going to はそれまでの流れを含んだ根拠のある表現だと言えます。

ポイント

be going to ~ ： それまでの<u>流れを含む</u>

（〜するつもりだ、〜しそうだ）

will の意味

I will play soccer tomorrow.（私は明日サッカーをします）

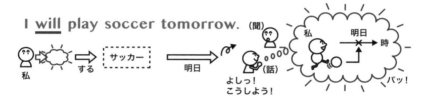

　英語では be going to 以外に will という助動詞を使って未来を表すことができます。will は「〜します」という意味を表します。

will のイメージ

〜します、〜だろう

【特徴】
- ✓ **その場で思い描いたこと**
  （パッと思いついたこと）
- ✓ **意志や推量を表す**

　will のコアイメージ（＝単語の中心的なイメージ）は「<u>確信度の高い思い</u>」です。「その場で思い描く（<u>パッと思いつく</u>）」というイメージから、「<u>〜します</u>」や「<u>〜だろう</u>」という意志や推量の意味が出てきています。

It will rain tomorrow.（明日は雨が降るだろう）

　主語が物事の場合、will は「〜だろう」という推量を表します。
　be going to と違って、will には特に根拠があるわけではありません。話し手の中でそのように思い描いているだけです。その意味で、will はそれまでの流れを含んでいない表現だと言えます。

> **ポイント**
>
> **will 〜　　　　：　その場で思い描く**
> （〜します、〜だろう）　（それまでの流れを含まない）

will の人称変化、短縮形

　will には人称による変化はありません。どの人称でも will のままで使うことができます。
　will は I will → I'll のような短縮形でもよく使われます。同様に You'll、He'll、She'll、It'll、We'll、They'll となります。

be going to と will が未来を表す理由

　be going to と will は未来を表すときによく使われますが、これらの表現がどうして未来を表せるのかも確認しておきましょう。
　be going to は「〜に向けて、いま進行中である」というイメージなので、その向かう先の内容は必然的に未来のことになります。

一方で、will が表しているのは「思い」です。「こうしよう！」「こうだろう」のように思い描いた内容は未来のことを表しやすいというだけのことなのです。

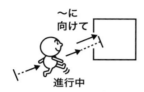

be going to と will の違い

　be going to は「既に決めていること・決まっていること」を表すのに対して、will は「その場で決めたこと・思ったこと」を表すという違いがあります。

Mr. Imai will buy a new drone. （今井くんは新しいドローンを買うだろう）※話し手の思い
Mr. Imai is going to buy a new drone. （今井くんは新しいドローンを買うつもりです）※今井くんの予定

be going to と will の否定文

be going to の否定文

I am not going to play soccer tomorrow.（私は明日サッカー
をするつもりはありません）

　be going to は be 動詞の文なので、否定文にするときは be 動詞
の後に not を入れます。意味は「〜するつもりはありません」「〜
しそうにない」となります。

will の否定文

I will not play soccer tomorrow.（私は明日サッカーをしません）

　will を否定文にするときは will の後に not を入れます。意味は
「〜しません」「〜ないだろう」となります。will not を短縮すると
won't となります。

be going to と will の疑問文

be going to の疑問文

Are you going to play soccer tomorrow?（あなたは明日サッ
カーをするつもりですか？）
　　Yes, I am.（はい、するつもりです）
　　No, I am not.（いいえ、するつもりはありません）

　be going to の疑問文は be 動詞を主語の前に出してつくります。
意味は「〜するつもりですか？」「〜しそうですか？」となります。

will の疑問文

Will you play soccer tomorrow?（あなたは明日サッカーをしますか？）

    Yes, I will.（はい、します）

    No, I won't.（いいえ、しません）

　will の疑問文は will を主語の前に出してつくります。意味は「〜しますか？」「〜でしょうか？」となります。

will の疑問文

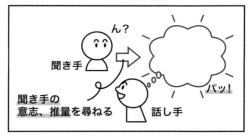

〜しますか？、〜でしょうか？

will の疑問文は聞き手の意志、推量を尋ねるときに使います。

ポイント

will の疑問文 ： 聞き手の意志、推量を尋ねる

（〜しますか？〜でしょうか？）

Are you going to invite him?（あなたは彼を招待するつもりですか？）

Will you be at home tonight?（あなたは今晩家にいますか？）

ことばの研究室

■ will は未来形ではないの？

今井　学校で will は未来形だと習いましたが、本文では未来形という表現を使っていませんでしたよね。どうしてですか？

遠藤　その理由は will がいつも未来のことを表すわけではないからです。たとえば、次の文で考えてみましょう。

He will be there now.

　この文は現在と未来のどちらのことを述べていると思いますか？

今井　そりゃ now があるので、現在のことですよね。

遠藤　その通りです。さきほどの文は「彼はいまそこにいるだろう」という意味になります。このように will があっても、いつも未来のことを表すわけではありません。will は「こうだろう」という話し手の「思い」を述べているだけなのです。

今井　なるほど、それで未来形という表現を使っていないのですね。

■ be going to に本当に意志は含まれていないの？

今井　be going to は「〜するつもり」で予定を表して、will は「〜します」で意志を表すという話でしたよね。でも、僕は be going to にも意志が含まれているように感じてしまうのですが、そのあたりはどうなんですか？

遠藤　これは日本語の問題ですね。be going to を「〜するつもり」と日本語訳したときに意志が含まれてしまっているのです。be going to にぴったり合う言葉が日本語側にないことが原因です。

今井　be going to を「〜する予定です」とするとダメなんですか？

遠藤　そう考えてもいいですよ。本文でも、その訳を採用している例文がありますから。しかし、本来 be going to は「〜する方向で進めている状態」なので、「〜する予定です」だと少し言い過ぎになってしまう

場合もあるので注意が必要ですね。

今井　なるほど、微妙なところなんですね。でも、やっぱりまだ納得できていないのですが、be going to を使ったときに本当に意志って含まれないのですか？

遠藤　それについては、あくまでも文言上は含まれていないというだけです。次の例文で考えてみましょうか。

I'm going to play soccer tomorrow.

　この例文は「明日サッカーをする方向で進めているところです」ということを表しています。文言上は意志が表面化していませんが、話し手の中に「明日サッカーやろう」という意志がないとは言えませんよね。

今井　あー、そうか。文言上の話なんですね。実際の会話では、意志が読みとれることもあるってわけか。

遠藤　その通りです。表現に意志が含まれていないからと言って、その人にそうする意志がないわけではないのです。

第24章　助動詞 can

　　助動詞 can は「〜できる」という意味が有名ですが、これは「可能性をもっている」というイメージから出てきています。今回は、許可を求める表現 Can I 〜？（〜してもよいですか？）をおさえておきましょう。

can の意味

I can swim.（私は泳げます）

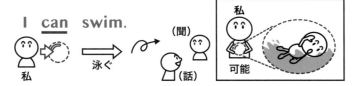

　can は助動詞の一種で、「〜できる」という意味を表します。

can のイメージ

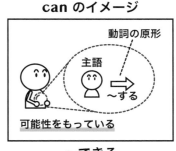

〜できる

　can のコアイメージは「可能性をもっている」です。ここから、能力を表す「〜できる」という意味が出てきています。

```
┌─ ポイント ──────────────────────┐
│  can ～   ： 可能性をもっている    │
│  (～できる)                      │
└───────────────────────────────┘
```

■ 助動詞とは

　助動詞とは心理や判断を表します。つまり、助動詞を使うことで、「こうしよう／こうかもしれない／こうしなければいけない」などと頭の中で考えていることを表せるようになります。

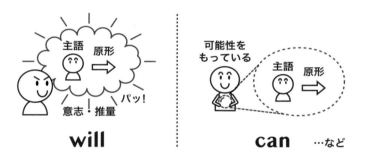

　助動詞を使う際には「主語＋助動詞＋動詞の原形」という形をとります。

can の否定文・疑問文

■ 否定文

I can not swim.（私は泳げません）

　can を否定文にするときは can の後に not を入れます。意味は「～できません」となります。
　can not を短縮すると cannot または can't となります。not を強調するときは can not を使いますが、ふつうは cannot または can't を使います。

■ 疑問文

Can he swim? （彼は泳げますか？）
　Yes, he can. （はい、泳げます）
　No, he can't. （いいえ、泳げません）

　can を疑問文にするときは can を主語の前に出します（他の助動詞もすべて同じようにして疑問文をつくります）。意味は「〜できますか？」となります。

許可を求める Can I 〜?

Can I smoke? （タバコを吸ってもよいですか？）

　Can I 〜? は「〜してもよいですか？」という意味です。
　Can I 〜? は「私は〜できますか？」と聞き手に「私の可能性」を尋ねる表現ですが、そこから転じて「私は〜してもよいですか？」と聞き手に許可を求める表現として使われています。

```
ポイント

Can I 〜?　　　 ：聞き手に許可を求める
（〜してもよいですか？）
```

■ Can I 〜? への答え方

Can I smoke?（タバコを吸ってもよいですか？）
　Of course.（もちろん）
　Go ahead.（どうぞ）
　I'm sorry, you can't.（すみませんが、ダメです）

　許可を求める Can I 〜? に対しては、Yes や No ではない表現で答えます。

> Mr. Imai can fly a drone.（今井くんはドローンを飛ばすことができます）
>
> "Can I use your pen?" "Sure, go ahead."（「あなたのペンを使ってもいい？」「いいよ、どうぞ」）

第25章　依頼表現

　今回は相手に何かをしてもらいたいときの表現を学びます。Will you 〜？は相手にそうする「意志」があるかを尋ね、Can you 〜？は相手の中にそうする「可能性」があるかを尋ねます。

依頼を表す Will you 〜?

Will you open the door?（そのドアを開けてくれますか？）

　Will you 〜？は「〜してくれますか？」という意味です。

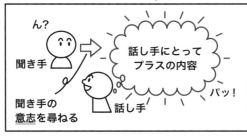

依頼を表す Will you 〜?

〜してくれますか？

　話し手にとってプラスとなる内容を「しますか？」と聞き手に尋ねているイメージで、そこから「〜してくれますか？」という意味

が出てきています。

> **ポイント**
>
> **Will you ～?** ：聞き手の**意志**を尋ねる
> （～してくれますか？）

依頼を表す Can you ～?

Can you open the door?（そのドアを開けてもらえますか？）

Can you ～ ? は「**～してもらえますか？**」という意味です。

依頼を表す Can you ～?

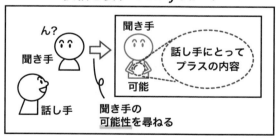

～してもらえますか？

　話し手にとってプラスとなる内容を「できますか？」と聞き手に
尋ねているイメージで、そこから「～してもらえますか？」という
意味が出てきています。

Can you ~? ：聞き手の可能性を尋ねる
（〜してもらえますか？）

より丁寧な依頼表現 Would you 〜? Could you 〜?

Would you open the door?（そのドアを開けてくれませんか？）
Could you open the door?（そのドアを開けてもらえませんか？）

　Will you 〜? Can you 〜? は、それぞれ過去形 Would you 〜? Could you 〜? にすることで、より丁寧な依頼表現になります。
　丁寧になる理由は、過去形にすることで依頼内容を聞き手から遠ざけることができるためです。遠回しな表現になるわけです。

過去形にすることで、より丁寧な依頼になる
Would you ~?（〜してくれませんか？）
Could you ~?（〜してもらえませんか？）

※依頼表現のニュアンスの違いについては、弊著『英文法イメージリンク【助動詞】』にて詳しく解説しています。

第26章　助動詞 must, have to

今回は「〜しなければいけない」という義務を表す表現を確認していきましょう。ポイントは、must が「それしかないと迫る」、have to が「しなくてはいけないことがある」という違いになります。

must の意味

Taro **must** do his homework.（太郎は宿題をしなければいけない）

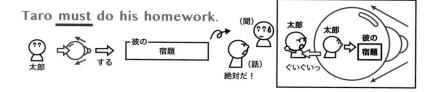

　must は「〜しなければいけない」という意味を表す助動詞です。

must のイメージ

〜しなければいけない

　must のコアイメージは「○○しかないと迫る」です。話し手の中で「それしかない」と思っていることを表現するときに使われます。

ポイント

must ～ **：** **〇〇しかないと迫る**
(～しなければいけない)

have to の意味

Taro has to do his homework.（太郎は宿題をしなければいけない）

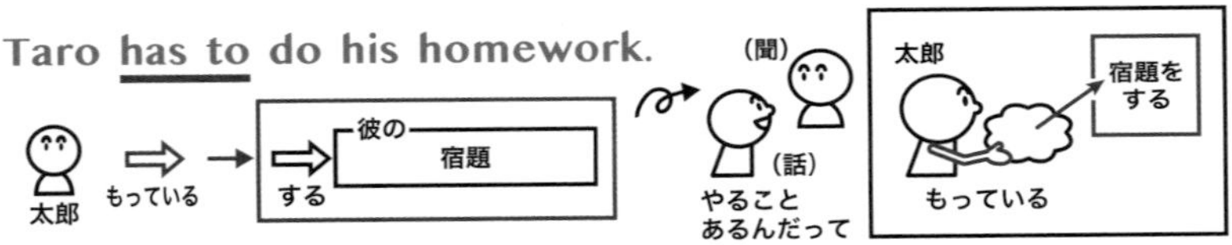

have to も「～しなければいけない」という意味を表すことができます。例文のように主語が３人称単数現在（３単現）のときは、have to を has to にします。

have to のイメージ

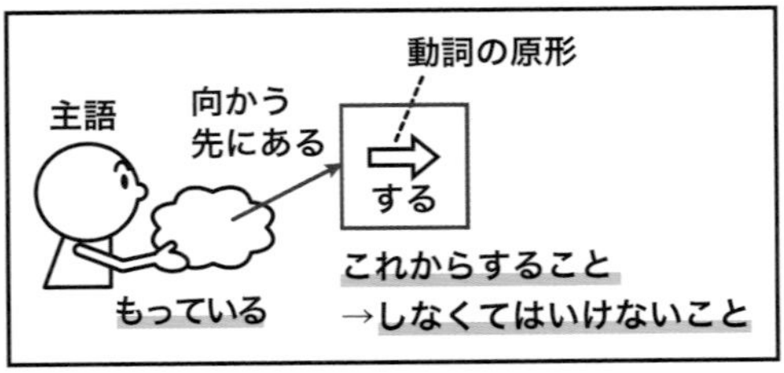

～しなければいけない

have to は文字通り have と to を組み合わせたもので、to の後には動詞の原形（do など）がきます。

今回のポイントは to do にあります。to do は「向かう先にある do（する）」というイメージで、「これからすること」→「しなくてはいけないこと」を表します。

そのようなことを have（もっている）わけなので、have to do は「これからやることがある、しなくてはいけないことがある」という意味になります。

第26章

助動詞 must, have to

> **ポイント**
>
> **have to ~**　　　　：**これからすることをもっている**
> （〜しなければいけない）

must と have to の違い

must は「話し手の気持ち」を表すのに対して、have to は「客観的な必要性」を表すという違いがあります。

I must be more careful.（私はもっと気をつけなければいけない）

I had to find a job.（私は仕事を見つけなければいけなかった）

must と have to の否定文

You must not go there.（あなたはあそこに行ってはいけない）
You don't have to go there.（あなたはあそこに行かなくてもよい）

　否定文では、それぞれ must not と don't have to という形にします。must not は「〜してはいけない」という意味になり、don't have to は「〜しなくてもよい」という意味になります。

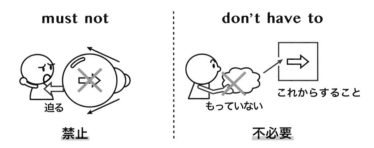

　must not は「〜しない」が迫ってくるイメージなので、「〜してはいけない」という禁止を表します。
　don't have to は「これから〜することをもっていない」イメージなので、「〜しなくてもよい」という不必要を表します。

ポイント

must not ~ （～してはいけない）：<u>禁止</u>

don't have to ~ （～しなくてもよい）：<u>不必要</u>

ことばの研究室

■ have to は本当に客観的な表現なの？

今井 have to は「客観的な必要性」という説明がありましたが、僕からすると「それが客観的かどうかなんてわからない」と思ってしまいます。たとえば、次の例文だと、どこがどう客観的なんですか？

Taro has to do his homework.（太郎は宿題をしなければいけない）

遠藤 これは must と比較して、ですね。must は「話し手がぐいぐい押しつける」感じになりますが、have to は「そういう状況だ」と事実を述べている感じになるのです。

今井 そうですか？　うーん、僕が You have to do your homework. って言われたら、押しつけられたと思ってしまいますが……。

遠藤 これもあくまで文言上の話ですよ。そのため、have to という「客観的な必要性」を表す表現を使っていても、実際には話し手の都合や価値観を押しつけている場合だってあります。

今井 あー、これも言葉の上での話か。

遠藤 そうです。表現が最終的にどのようなニュアンスになるのかは、文脈に大きく依存します。特に心理を表す助動詞は、文脈への依存度合いが大きいと思っておいたほうがいいでしょうね。

第27章　助動詞 may, should, shall

最後に残りの助動詞を確認しておきましょう。may は「上から下への許容」、should は「話し手の中での常識」というイメージになります。shall は Shall I 〜？と Shall we 〜？をチェックしておきましょう。

may の意味

You may go there.（あなたはあそこに行ってもよい）

may は「〜してもよい」という意味を表す助動詞です。

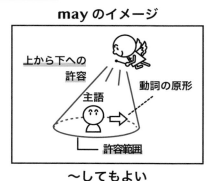

may のイメージ

〜してもよい

may のコアイメージは「上から下への許容」です。立場が上の

人から下の人に許可を出すときによく使われます。

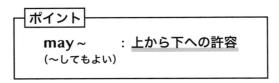

ポイント

may ~ ：上から下への許容
（～してもよい）

許可を求める May I ～?

May I smoke?（タバコを吸ってもよろしいでしょうか？）

　May I ～? は「～してもよろしいでしょうか？」という意味で、聞き手に許可を求めるときに使われます。許可を求める表現にはCan I ～? もあるので、その違いを確認しておきましょう。

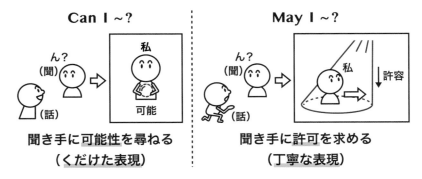

　Can I ～? は、私自身の可能性を尋ねる表現が転じて、聞き手に許可を求める表現になっています。正式に許可を求めているわけではないため、家族や親しい友人の間で使われるくだけた表現になり

ます。

　May I ～ ? は、聞き手に許可を求める表現です。相手の立場を上に置いて、正式に許可を求めている感じなので、丁寧な表現になります。

ポイント

May I ～? 　　　　　：聞き手に許可を求める
（〜してもよろしいでしょうか？）　　　（**丁寧な表現**）

■ May I ～?への答え方

May I smoke?（タバコを吸ってもよろしいでしょうか？）
　Of course.（もちろん）
　I'm sorry, you can't.（すみませんが、ダメです）

　許可を求める May I ～ ? への答え方は、Can I ～ ? への答え方と同じで大丈夫です。なお、you may not のように may を使って答えると尊大に聞こえるため、ふつうは you can't のように答えます。

You may enter this room with your shoes on.（靴を履いたまま、この部屋に入ってもかまいません）

"May I use the bathroom?" "Of course."（「トイレをお借りしてもよろしいでしょうか？」「もちろんです」）

※ bathroom「トイレ」　日本語でも「トイレ」のことを「お手洗い」などと言うように、英語では「バスルーム（お風呂場）」で「トイレ」のことを指します。

---

should の意味

Taro should do his homework.（太郎は宿題をするべきだ）

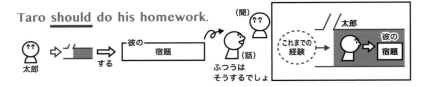

should は「〜するべきだ」という意味を表す助動詞です。

should のイメージ

〜するべきだ

　should のコアイメージは「話し手の中での常識」です。これまでの経験から「ふつうはこうするよね」ということを表すときによく使われます。

ポイント

should ～：話し手の中での常識
（〜するべきだ）

shall を使った表現

Shall I ～?

Shall I help you?（私がお手伝いしましょうか？）
　　Yes, please.（はい、お願いします）
　　No, thank you.（いいえ、大丈夫です）

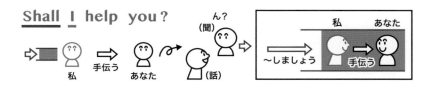

　　Shall I ～? は「私が～しましょうか？」という意味で、聞き手に申し出をしています。

> ┌**ポイント**─────────────────┐
> **Shall I ~?（私が～しましょうか？）【申し出】**
> └──────────────────────────┘

Shall we ～?

Shall we play soccer?（一緒にサッカーをしましょうか？）
　　Yes, let's.（はい、そうしましょう）
　　No, let's not.（いいえ、やめておきましょう）

Shall we ～? は「一緒に～しましょうか？」という意味で、聞き手に提案をしています。

ポイント

Shall we ~?（一緒に～しましょうか？）【提案】

Parents should be patient with their children.（親は子供に対して我慢強くあるべきです）

"Shall we go for lunch?" "Yes, let's."（「お昼ご飯、一緒に行きませんか？」「うん、そうしましょう」）

※助動詞の中学レベルで習う内容は以上になります。助動詞のもっと詳しい用法については、弊著『英文法イメージリンク【助動詞】』をご参照ください。「must と have to と should の違い」「shall のイメージ」など本書では扱わなかったテーマも解説しています。

第28章　to不定詞

　中学英語でつまずく人が多いのが to 不定詞。「to ＋動詞の原形」という1つの形で複数の意味をもっているのが難しいところです。とは言っても、主な意味は3つだけなので、ぱぱっとおさえてしまいましょう。「ことばの研究室」でイメージによる詳しい解説をしているので、よかったらそちらも読んでみてくださいね。

to不定詞とは

I went to the library to study English.（私は英語を勉強するためにその図書館に行った）

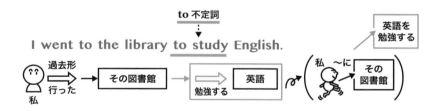

　例文における to study を「to 不定詞」と呼びます。例文は I went to the library（私はその図書館に行った）の後に to study English と続けることで「英語を勉強するために」という意味をつけ加えています。

　to 不定詞とは「to ＋動詞の原形」のことです。イメージは「向かう先にある動作」という感じでシンプルですが、シンプルゆえに様々な意味を表すことができます。

to 不定詞

向かう先にある動作

to 不定詞の代表的な意味として「〜するために」「〜すること」「〜するべき」があります。1つずつ確認していきましょう。

┌─**ポイント**─────────────────────┐
│ **to 不定詞 = to ＋ 動詞の原形** │
└──────────────────────────────┘

【補足】同じ前置詞が複数回登場することについて

went to the library と to study と2回 to が出てくることに違和感がある方もいるかもしれませんが、1つの文で複数回 to を使っても問題ありません。

日本語で言えば「図書館に勉強しに行く」のように「に」が複数回、使われているのと同じです。

to不定詞の副詞的用法

目的を表す

I went to the library to study English. （私は英語を勉強するためにその図書館に行った）【再掲】

to study English は「英語を勉強するために」という意味でしたね。「私は図書館に行った」→「英語を勉強しに」という感じで、目的を表しています。

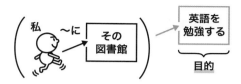

また、to は「図書館に行く」シーンから「英語を勉強する」シーンへ場面を移すような働きをしています。場面を移しているので「副詞的用法」と呼んでいます。to の直前で場面が区切られているのがポイントです。

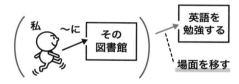

原因を表す

I am happy to see you.（私はあなたに会えて幸せです）

to see you は「あなたに会えて」という意味です。
突然「私は幸せです」と言われたら、多くの人は「なぜ？」と思うはずですよね。その答えを to で指し示しています。「私は幸せです」→「あなたに会えて」という感じで、原因を表しています。

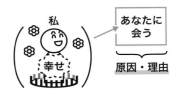

　この例文も I am happy（私は幸せです）で場面が区切られています。その後、to see you（あなたに会うことで）と場面を移しているので「副詞的用法」となります。

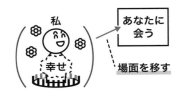

> **ポイント**
>
> **to 不定詞の副詞的用法 : to の直前で区切って、**
> **（〜するために、〜して）　　　　　目的や原因を指し示す**

■ 副詞的用法（原因）でよく使われる表現

　原因を表す副詞的用法は、感情を表す表現と一緒によく使われます。

- ・be happy to 〜（〜して嬉しい）
- ・be glad to 〜（〜して嬉しい）
- ・be sad to 〜（〜して悲しい）
- ・be sorry to 〜（〜して残念だ）

　なお、フレーズのように提示していますが、I'm glad / to hear the news.（その知らせを聞いて嬉しい）のように区切られます。

to不定詞の名詞的用法

I like to play soccer.（私はサッカーをすることが好きです）

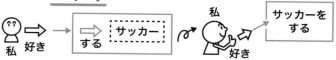

　to play soccer は「サッカーをすること」という意味です。
　to play soccer で名詞のような固まりになっているのがポイントです。ここから「名詞的用法」と呼んでいます。

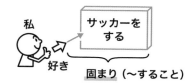

┌─ **ポイント** ─────────────────────────┐
│　**to 不定詞の名詞的用法 : 固まりとして捉える**
│　**（〜すること）**
└─────────────────────────────────────┘

■ 名詞的用法でよく使われる表現

・like to 〜（〜することが好き）

・hope to 〜（〜することを望む）

・want to 〜（〜したい）

・start to 〜（〜し始める）

・begin to 〜（〜し始める）

・try to 〜（〜しようとする）

to不定詞の形容詞的用法

Taro has a lot of homework to do. （太郎はたくさんのするべき宿題をもっています）

Taro has a lot of homework <u>to do</u>.

　homework to do は「するべき宿題」という意味です。

　直前の名詞 homework（宿題）がどんな宿題なのか、その中身を to do（するべき、するための）で指し示しています。

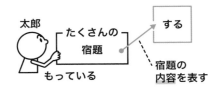

　homework to do という英語はシンプルに表現すれば「宿題（→する）」というイメージで、後から説明を加えています。

　これを日本語にしたとき「するべき宿題」となって、形容詞のように訳すので「形容詞的用法」と呼んでいます。

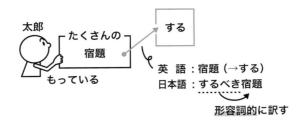

to 不定詞の形容詞的用法 ：**to の直前が名詞で、**
（〜するべき、〜するための）　　**その内容を指し示す**

■ 形容詞的用法の代表的な表現

・something to drink （何か飲むもの）

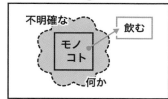

something to drink

不明確な　　　飲む

モノ
コト

何か

何か飲むもの

　some は「不明確、ぼんやり」というイメージの単語で、
something で「不明確なモノ」つまり「何か」という意味になります。
　something to drink は「何か（→飲む）」というイメージであり、
「飲むための何か」→「何か飲むもの」となります。

■ 形容詞的用法でよく使われる表現

・anything to drink （飲みもの何でも）※否定文や疑問文で用いる
・nothing to do （するべきことが何もない）

Mr. Imai talked to an international student to learn
English. （今井くんは英語を学ぶために留学生に話しかけた）
Mr. Imai likes to tell jokes in English. （今井くんは英語で
ジョークを言うのが好きです）

ことばの研究室

■ to のイメージを理解する

今井　正直言って、僕はこの to 不定詞の何とか用法って大っ嫌いなんです。

遠藤　いきなりストレートですね。でも、どうしてですか？

今井　実際に出てきたときに、これは形容詞的用法だなとか、こっちは副詞的用法だなとか全然考えられないですもん。だからこんな分類しても意味がないんじゃないかって思っています。

　実際、「〜するための」や「〜するために」などを当てはめて、上手く日本語訳できれば、それでオッケーとしか思っていませんでしたし。

遠藤　確かに副詞的用法などのような分類名が、英文理解に直結するわけではないですからね。わかりました、では一旦脇に置いておいてください。

　大切なことは、実際の英文理解に活かせるように to 不定詞そのものを理解することです。その結果として、副詞的用法などの名称はともかく、パターンが異なるものとして認識してもらえたらと思っています。

今井　to 不定詞そのものを理解するってどうやればいいのですか？

遠藤　それこそイメージの出番ですね。そもそも to 不定詞が幅広い意味で使われているのは to によるところが大きいので、to のイメージと使い方がわかれば、to 不定詞自体は難しくないと思いますよ。

今井　なるほど。それでは to のイメージを教えてもらえますか？

遠藤　to のイメージは「矢印と到達点」です。

今井　めちゃくちゃシンプルですね。

遠藤　そうですね。シンプルだから使い勝手がよくて、幅広い意味をもってしまうのです。

■ いきなりぶん投げて、後で足りていない情報を補う

遠藤　to のイメージが理解できたら、次は実際にどう使えばよいかがポイントです。本文で出てきた例文で確認していきましょう。

I went to the library to study English.（私は英語を勉強するためにその図書館に行った）

　実際に to のイメージを活用できないと意味がないので、目の前に聞き手がいるものとして、その聞き手に話しかけているつもりで考えてくださいね。

今井　はい、いいですよ。

遠藤　まず I went to the library まで口に出しましょう。これで「私がその図書館に行った」シーンを描いたことになります。次に to と言いながら、別のところを指さして、聞き手の顔をそちらに向けさせます。最後に study English で指さした先に「英語を勉強する」をもってくるわけです。

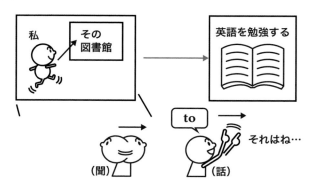

今井　やってみましたけど、to で別のところを指さすときに「それはね…」みたいな言葉を補いながらやるとしっくりきますね。図書館に行った目的や理由を言いたいから to を使うみたいな感じと言えばいいですかね。

遠藤　その通りです！　このパターンになる英文を3つあげるので、同じように意識しながら読み上げてみてください。

> I got up early to watch the TV program. (私はそのテレビ
> 番組を見るために早起きしました)
>
> I got angry to hear the news. (私はそのニュースを聞いて
> 怒りました)
>
> Taro will be happy to know the result. (太郎はその結果を
> 知って喜ぶでしょう)

今井 なんとなくですけれど、I got up early や Taro will be happy といっ
た to までのところって乱暴といえば乱暴な言い方ですよね。いきなり
結論を聞かされているみたいで、僕が聞き手だったら「なんで？」って
なります。

遠藤 その感覚はとても大事です。ある意味、いきなりぶん投げておい
て、後で足りていない情報を補うために to を使っているのです。これ
は私たち日本人にとって馴染みのない言葉の使い方なので、最初のうち
はぶん投げることに勇気がいると思います。何度も繰り返し使って慣れ
ていってください。

■ 指さした先にあるものを表す

遠藤 to 不定詞の次のパターンを確認していきましょう。

I like to play soccer. (私はサッカーをすることが好きです)

今井 これはなんとなくわかります。to play soccer を「サッカーをす
ること」って訳せばいいんですよね。

遠藤 そうです。to のイメージは「矢印と到達点」でしたよね。この場
合、到達点の方を強くイメージすることで、名詞のような固まりとして
扱っているわけです。

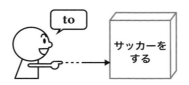

今井　指さした先にあるものって感じですかね。

遠藤　いい表現ですね。このパターンの英文もあげておくので、to 以降を「指さした先にあるもの」とイメージしながら確認しておいてください。

> I want to be a teacher.（私は先生になることを欲する）
> He needs to see a doctor.（彼は医者に診てもらうことを必要としている）

■ 直前の名詞を引っ張って、その中身を指し示す

遠藤　to 不定詞、最後のパターンは次の例文です。

Taro has a lot of homework to do.（太郎はたくさんのするべき宿題をもっています）

今井　これはどうイメージすればいいのですか？

遠藤　今回は homework と言った後、間髪入れずに to do を続けるのが読み上げるときのコツです。イメージとしては、宿題の中身を一度指で押さえて、それからその内容を矢印で指し示すような感じになります。

今井　どんな宿題なのかを説明するために to で引っ張るんですね。

遠藤　その通りです。また、この場合は直前の名詞のところで区切らないことに注意してください。直前の名詞を引っ張って、その中身を指し示すので、区切ってはいけないのです。

I have no time to watch TV.（私はテレビを見る時間がない）

There are many places to visit in Kyoto.（京都には訪れるべき場所がたくさんあります）

■ to 不定詞の３つのイメージまとめ

今井　to 不定詞もイメージで説明されるとすんなり受け入れられますね。説明は長かったですけど……。

遠藤　長くなってしまったのは申し訳ないです。しかし、to のもつ「矢印と到達点」というイメージが次のように使われている、というだけの話だったのです。

１．いきなり結論をぶん投げて、後で理由や目的を補いたいときに使う

２．名詞のような固まりを表したいときに使う

３．直前の名詞の中身を指し示したいときに使う

今井　説明を聞いていて思いましたが、to 不定詞は読んだりするよりも実際に使ってしまった方が、早くつかめそうな気がしますね。

遠藤　そうですね。to に関しては「矢印と到達点」というイメージが使えると思ったら、ドンドン使ってみることをおすすめします。実際に使ってみたら、予想以上に使い勝手がよいことにびっくりすると思いますよ。

第29章　動名詞

　　動名詞は「動詞の ing 形」の形で、「〜すること」という意味を表します。to 不定詞の名詞的用法と同じ日本語訳になりますが、ニュアンスには違いがあります。その違いを確認しておきましょう。

動名詞とは

I like playing soccer.（私はサッカーをすることが好きです）

　　playing soccer は「サッカーをすること」という意味です。この playing を「動名詞」と呼びます。

　　動名詞は現在分詞と同じ「動詞の ing 形」ですが、その意味や役割が異なっているので区別されています。

動名詞のイメージ

【特徴】
- ✓ 名詞と動詞をあわせもつ
- ✓ 何か行動しているところを写真で切り取ったイメージ

（まさに）〜すること

　動名詞は「（まさに）〜すること」を表します。動名詞の特徴として「名詞と動詞をあわせもつ」ことがあげられます。動名詞は何かしているところを写真で切り取ったイメージで捉えるとよいでしょう。

> **ポイント**
>
> 動名詞　：　何か行動しているところを
> （〜すること）　写真で切り取ったイメージ

動名詞と to不定詞の違い

動名詞：I enjoy playing soccer.（私はサッカーをすることを楽しんでいます）

to 不定詞：I want to play soccer.（私はサッカーをすることを欲する／私はサッカーをしたい）

　動名詞と to 不定詞は同じ「〜すること」と訳されますが、ニュアンスには違いがあります。結論から言うと、動名詞は「これまでのこと」を表しやすく、to 不定詞は「これからのこと」を表すときによく用いられます。なぜそうなるのか、それぞれ説明しておきましょう。

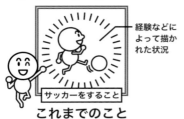

　動名詞には「まさにその動作」というリアルなニュアンスが含まれています。この「まさにその動作」は過去の経験などによって描かれることが多いので、「これまでのこと」というイメージと結びつきやすいわけです。

　一方で、to 不定詞は「向かう先にある動作」というイメージのものです。これから先にある動作として「これからのこと」というイメージと結びつきやすいわけです。

```
┌─ ポイント ─────────────────────────┐
│              ╱ 動名詞：これまでのこと      │
│   ～すること ＜                          │
│              ╲ to 不定詞：これからのこと   │
└────────────────────────────────────┘
```

動名詞と to不定詞の使い分け

　動名詞は「これまでのこと」、to 不定詞は「これからのこと」というニュアンスの違いから、「目的語に動名詞を主にとる動詞」と「目的語に to 不定詞を主にとる動詞」に分かれます。それぞれ代表的な例を確認しておきましょう。

■ 動名詞を主にとる動詞

- enjoy -ing（〜することを楽しむ）
- finish -ing（〜することを終える）
- stop -ing（〜することを止める）

■ to 不定詞を主にとる動詞

- want to 〜（〜することを欲する、〜したい）
- hope to 〜（〜することを望む）
- decide to 〜（〜することを決心する）

また、目的語に動名詞をとるか、to 不定詞をとるかで意味が変わってしまう動詞もあります。こちらも代表的な例を確認しておいてください。

■ 動名詞と to 不定詞で意味が変わる動詞

- remember -ing（〜したことを覚えている）
- remember to 〜（〜することを覚えている）
- forget -ing（〜したことを忘れる）
- forget to 〜（〜することを忘れる）

I'll never forget visiting Hawaii.（私はハワイを訪れたことを決して忘れません）
Don't forget to turn off the light.（明かりを消すのを忘れないでね）

ことばの研究室

■ 英語に対する感覚を死なせないことが大事

今井 説明を聞いていて、中学校で「stop の後は動名詞にしなければいけません」と教えられたのを思い出しました。僕はこういう押しつけがすごく嫌いで、そう言われる度に「なんでだよ」ってイライラしていたんですよね。

遠藤 なんとなく想像できますね（笑）　でも、納得できないことはなかなか素直に受けとれないですよね。

今井 それもありますし、押しつけられた途端に僕の中で英語に対する感覚が死んでしまうんですよね。

　たとえば、It will stop raining soon.（きっとすぐに雨がやむだろう）という英文であれば、raining という単語に「雨が降っている」というニュアンスが含まれているはずですよね。降っている雨が止むわけだから、stop raining になるのは当たり前だと思うんです。

　それが「覚えなさい」と言われた途端に、そういうイメージが描けなくなってしまう。とりあえず、stop だから raining にしておくかってロボットみたいな反応しかできなくなってしまうんです。

遠藤 どんな表現でも人間が使っている以上、「なるほど一理あるな」と感じるところがあるはずですからね。

　本文でも述べましたが、want は「これから先に〜すること」をしたいから to 不定詞をとります。enjoy は「いま（or これまで）〜していること」を楽しむので動名詞をとります。それだけのことなんですよね。

今井 ルールというより、あくまで自然なことですよね。

遠藤 そうですね。人間的な感覚に合わない表現は自然と淘汰されていくので、いま残っている表現にはそれなりに妥当性があるはずです。なので、釈然としないルールが提示されたときには、その背景を考えてみると面白いと思いますよ。

ここから３章にわたって、特徴的な使い方をする動詞について確認していきます。その特徴は「その動詞の後にどのような単語が続くか」に現れているので、文型に関係するトピックとも言えます。今回のテーマは「〜に見える」などの動詞です。一般動詞が「イコール」のように働いていることに注目して読んでいってください。

look（〜に見える）の文

Taro looks happy.（太郎は幸せそうに見える）

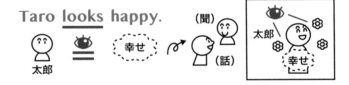

　　例文の looks は「〜に見える」という意味です。look には「見る」という意味もありますが、look の後に happy（幸せ）や sad（悲しい）など状態を表す単語がくると、「〜に見える」という意味になります。

比較：Taro is happy.（太郎は幸せです）

　　be 動詞は「イコール」でつなぐ働きをしていましたね。この比較例文は「太郎＝幸せ」で「太郎は幸せです」となります。

　例文の look も同じように「イコール」でつなぐ働きをしています。ただ be 動詞と異なるのは、イコールに look の意味が上乗せされているところです。そのため「太郎は幸せそうに見える」という意味になります。

> **ポイント**
>
> **look（〜に見える）は = に意味を上乗せしたもの**
> イコール　　👁

イコールに意味を上乗せした動詞

He became a doctor.（彼は医者になった）

He became a doctor.

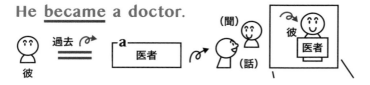

　become は「〜になる」という意味です。become も look（〜に見える）と同じく「イコール」でつなぐ働きに、「時間をかけて〜になる」という意味が上乗せされています。

イコールに意味を上乗せする動詞で、よく出てくるものを確認しておきましょう。

＝に意味を上乗せした動詞

- look 　　　👁　〜に見える

- become 　　↗　〜になる（時間をかけて）

- sound 　　🔊　〜に聞こえる

- get 　　　↻　〜になる（一時的に）

> That sounds strange.（それは妙だな）
> The weather is getting chilly.（天気は肌寒くなってきています）
> ※ chilly「肌寒い」

補語と文型SVC

Taro looks happy.（太郎は幸せそうに見える）

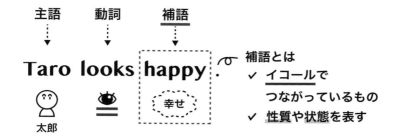

例文における happy を「補語」と呼びます。補語とは「イコールでつながっているもの」のことで、性質や状態を表します。

Taro looks happy.
主語　　動詞　　補語　　⇨ **SVC** の文
Subject　**V**erb　**C**omplement

英語では主語を Subject、動詞を Verb、補語を Complement と言います。例文のように主語＋動詞＋補語となる英文を、それぞれの頭文字を取って「SVC の文」と呼びます。

第31章　give（人に物を与える）などの動詞【SVOO】

　今回は「与える」や「買う」などの動詞で、その動詞の後に「人＋物」と名詞が2つ連続するパターンを見ていきます。前置詞を使った置き換え表現についてもチェックしておきましょう。

give（人に物を与える）の文

I gave her a present.（私は彼女にプレゼントをあげた）

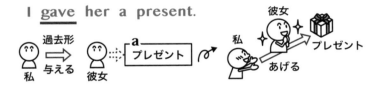

　give her a present は「彼女にプレゼントをあげる」という意味です。give ＋人＋物 で「人に物を与える」という意味になります。

人に物を与える

　この表現は、give の働きが人を貫通して、物にまで影響を及ぼしたものです。逆に言えば、本来は give ＋物（物を与える）とい

180

う形になるところに、人をはさみこんだ省エネ表現と見ることもできます。

┌─ **ポイント** ────────────────────────────┐
│   │
│ **give＋人＋物** ： **give** の働きが人を貫通して │
│ （人に物を与える）   物にまで影響を及ぼす   │
│   │
└──┘

give+人+物 の置き換え

I gave a present to her.（私は彼女にプレゼントをあげた）

give her a present を置き換えると give a present to her となります。

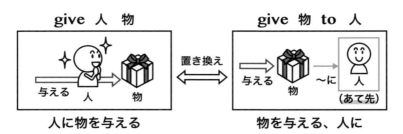

give（与える）の働きは物のところで終わってしまうので、与える相手を言いたいときは、あて先として to＋人 をもってくる必要があります。

give＋物＋to＋人 ： give の働きは物のところで終わる
（物を与える、人に）　与える相手は、あて先として to＋人で表す

buy+人+物 の置き換え

Taro bought her a present.（太郎は彼女にプレゼントを買った）
Taro bought a present for her.（太郎は彼女にプレゼントを買った）

　buy も give と同じように、buy ＋人＋物 で「人に物を買う」という意味になります。ただし、buy の場合は、buy her a present を置き換えると buy a present for her となります。

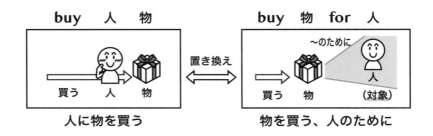

buy（買う）の働きは物のところで終わります。そこから誰のために買ったのかを言いたいときは、対象として for ＋人 をもってくる必要があります。

```
┌─ ポイント ─┐
│           │
 buy＋物＋for＋人 ： buy の働きは物のところで終わる
 （物を買う、人のために）   誰のために買ったのか、対象を for＋人で表す
```

動詞+人+物 の形をとる動詞

give や buy のように 動詞＋人＋物 の形をとる動詞をあげておきます。置き換えたときに to（あて先：～に）を使うのか、for（対象：～のために）を使うのかもあわせて確認しておきましょう。

動詞＋人＋物	意味	置き換え
give ＋人＋物	人に物を与える	give ＋物＋ to ＋人
show ＋人＋物	人に物を見せる	show ＋物＋ to ＋人
tell ＋人＋物	人に物を話す・教える	tell ＋物＋ to ＋人
buy ＋人＋物	人に物を買う	buy ＋物＋ for ＋人
make ＋人＋物	人に物を作る	make ＋物＋ for ＋人

He made me a table.（彼は私にテーブルを作ってくれた）
He made a table for me.（彼は私のためにテーブルを作ってくれた）

文型SVOO

I gave her a present.（私は彼女にプレゼントをあげた）

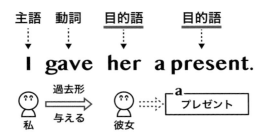

　例文の her と a present は目的語です。目的語とは「動作や働きを受けるもの」のこと。a present のように直前が動詞でなくても、動詞の働きが及んでいれば目的語になります。

I　gave　her　a present.
主語　動詞　目的語　目的語　⇨ SVOO の文
Subject　Verb　Object　Object

　英語では目的語を Object と言います。例文のように主語＋動詞＋目的語＋目的語となる英文を、それぞれの頭文字を取って「SVOO の文」と呼びます。

ことばの研究室

■「動詞＋人＋物」と「動詞＋物＋ to/for ＋人」の違い

今井 「動詞＋人＋物」は「動詞＋物＋ to/for ＋人」に置き換えられるという話ですけど、これって何かニュアンスの違いとかあるんですか？

遠藤 微妙な違いですが、ありますよ。次の例文で考えてみましょうか。

例文１：He showed me the picture.（彼はその写真を私に見せた）

例文２：He showed the picture to me.（彼はその写真を私に向けて見せた）

　まず例文１には、彼は私にその写真を見せただけでなく、私もその写真を見たというニュアンスが含まれます。一方で、例文２の場合は、彼は私に向けてその写真を見せましたが、私がその写真を見たことまでは含まれません。

今井 「私が実際にその写真を見た」というニュアンスを含んでいるかどうかの違いがあるってことですね。

遠藤 そうです。例文１の場合は、動詞 showed が me と the picture を串刺しにしているようなものです。「私」と「その写真」が接しているので、「私はその写真を見た」ことになるわけです。

　一方で、例文２の場合は、前置詞 to が the picture と me の間に入っています。「その写真」を「私」に向けて見せたというだけなので、「私がその写真を見たかどうかはわからない」わけです。

今井 なるほど。「動詞＋物＋ to/for ＋人」だと物と人が離れていて、物が人に届いていない可能性があるわけですね。

遠藤 そういうことですね。

第32章　call（人を〜と呼ぶ）などの動詞【SVOC】

　最後は「人を〜と呼ぶ」のように使う動詞について確認します。ポイントは「call ＋人＋名前」のように、動詞の後に「人」「名前」を連続させることです。このとき、「人」と「名前」がイコールでつながっていることにも注意してください。

call（人を〜と呼ぶ）の文

I call him Taro.（私は彼を太郎と呼びます）

　call him Taro は「彼を太郎と呼ぶ」という意味です。call ＋人＋名前 で「人を〜と呼ぶ」という意味になります。

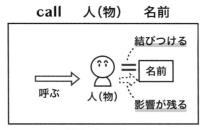

人（物）を〜と呼ぶ

　この表現は call の影響が残って、人（物）と名前を結びつけた

ものです。人（物）と名前の間に見えないイコールがありますが、その正体は動詞 call の余波だというわけです。

make（人を〜にする）の文

Music makes me happy.（音楽は私を幸せにする）

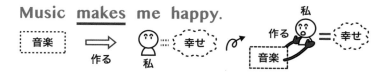

　make me happy は「私を幸せにする」という意味です。make は「作る、作り出す」イメージの単語で、make ＋人＋状態 で「人が〜の状態になるように作り出す」→「人を〜にする」という意味になります。

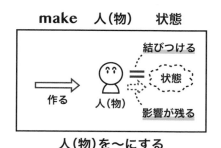

人（物）を〜にする

　この表現も make の影響が残って、人（物）と状態を結びつけたものです。人（物）と状態の間に見えないイコールがありますが、

その正体は動詞 make の余波です。

ポイント

make＋人（物）＋状態　：　**make の影響が残って**
（人（物）を〜にする）　　　　人（物）と状態を結びつける

I can't keep my room clean. （私は部屋をきれいに保つこと
ができない）
Mr. Imai calls Mr. Fujii "Journey." （今井くんは藤井くんを
「ジャーニー」と呼んでいます）

文型SVOC

I call him Taro.（私は彼を太郎と呼びます）

主語 動詞 目的語 補語

I call him Taro.

私 呼ぶ 彼 太郎

　補語は「イコールでつながっているもの」でしたね。この場合は、him = Taro となっているので、Taro は補語（him の補語）になります。

I call him Taro.

主語　　動詞　　目的語　　補語　⇨ **SVOCの文**

Subject **V**erb　**O**bject **C**omplement

　例文のように主語＋動詞＋目的語＋補語となる英文を、それぞれの頭文字を取って「SVOC の文」と呼びます。

　なお、今回と前回で「SVOO の文」「SVOC の文」を習いましたが、重要なことは動詞の働きが貫通したり、影響が残ったりすることです。

　その単語が目的語なのか、補語なのかという区別はその次に考えることです。動詞の余波がイコールとして働いているなら補語、矢印として働いているなら目的語となります。

ことばの研究室

■ 英語は「名称や状態を表す単語」と「動きを表す単語」の組み合わせ

今井　特徴的な使い方をする動詞ということでしたけど、熟語として覚えればいいだけのような気がしました。たとえば、stay at(〜に滞在する)などと同じように call ＋人＋名前（人を名前と呼ぶ）で捉えたらいいだけではないのですか？

遠藤　うーん、それだけではないのです。ここで「特徴的な」と銘打っているのは、「ふつう」とは違っている単語の並びになっているからなのです。

今井　そうなんですか。ふーむ、「ふつう」はどういう風になっているものなんですか？

遠藤　まず「ふつう」について説明する前に知っておいてほしいことがあります。それは、英語の最も基本的な構造は「名称や状態を表すところ」と「動きを表すところ」の組み合わせだ、ということです。

The teacher got angry at me at school yesterday.（昨日、学校で先生に怒られた）

　この例文を「名称や状態を表す単語（以下「静」とする）」と「動きを表す単語（以下「動」とする）」に分けると、次のようになります。

今井　動詞の got 以外に、前置詞 at や副詞 yesterday も「動」なんですね。

遠藤　前置詞や副詞は、人にターゲットを移したり、時や場所など場面を移したりしていると考えるとわかりやすいですよ。

■ 英語は「静」と「動」の繰り返しで状況を描く

今井　しかし、結構きれいに「静」と「動」の繰り返しになるんですね。

遠藤　そうです。英語における「ふつう」とは、「静」と「動」を繰り返して状況を描いていくことなのです。一方で、31章と32章で学んだ give や call の例文は次のようになります。

（※）**gave** の影響が貫通

（※）**call** の影響が残る

今井　あー、「静」が連続するところがふつうと違っているのか。

遠藤　そうです。後ろに「静＋静」と連続させる特別な動詞として give や call は取り上げられていたわけなのです。

■ 英文全体の構造を捉えることが大事

遠藤　この静動モデルのよいところは、前置詞や副詞なども含めて英文全体の構造を捉えられることです。

今井　あっ、それ大事ですよね。授業などで、英文に下線を引いて主語・動詞・目的語……と分類することがあるじゃないですか。でも、たいてい前置詞や副詞は分類されずに放置されていたので、いつも気持ち悪いなぁと思っていたんです。

遠藤　日本語でもそうですけれど、言葉にしている以上は何かしらの役割を果たしていますからね。それに英文を静と動の繰り返しで捉えるようにすると、リズムも取りやすくなります。ぜひ試してみてもらえたらと思います。

今回は何かを比べる言い方を確認していきます。「〜よりも背が高い」は taller than、「一番背が高い」は the tallest で表します。この taller を比較級、tallest を最上級と呼びます。あと、popular のように長い単語の場合は more や most を用いて表すこともおさえておきましょう。

比較級

I am taller than Taro. （私は太郎よりも背が高い）

　taller は「もっと高い」という意味で、taller を tall の「比較級」と呼びます。

　比較級は２つのものを比べて「もっと○○」と言いたいときに使います。比較級は形容詞や副詞の語尾に -er をつけて表します。

比較級

形容詞 ： **tall**（高い）→ **taller**（もっと高い）

副　詞 ： **fast**（速く）→ **faster**（もっと速く）

例文のように、英語では先に taller（もっと高い）と述べて、その後に than（〜よりも）を用いて「比べる対象」をもってきます。than は算数で出てくる不等号（＞または＜）のイメージで捉えるとよいでしょう。

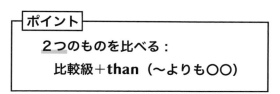

ポイント

２つのものを比べる：
比較級＋than（〜よりも〇〇）

最上級

I am the tallest of the three.（私はその３人の中で一番背が高い）

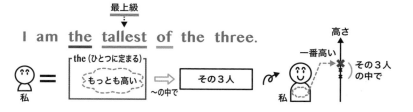

　tallest は「もっとも高い」という意味で、tallest を tall の「最上級」と呼びます。

　最上級は３つ以上のものを比べて「一番〇〇」と言いたいときに使います。最上級は形容詞や副詞の語尾に -est をつけて表します。

最上級

形容詞 ： **tall**（高い）　→　**tall**est（もっとも高い）

副　詞 ： **fast**（速く）　→　**fast**est（もっとも速く）

最上級を使うときは、ふつう「the ＋最上級」の形で用います。この the が何者なのかについても確認しておきましょう。

the のイメージ

ひとつに定まる

the のイメージは「ひとつに定まる」です。話し手と聞き手の間で、共通の了解がとれているものを指すときに用います。

たとえば the door と言えば、お互いに「そのドアのことだね」と、同じものを指すことができているドアを表していることになります。

例文の the tallest という形は、先に the で「ひとつに定まる」ような枠を設けて、そこに最上級 tallest（もっとも高い）を入れています。

tallest だけだと「もっとも高い」という状態を表すだけですが、the tallest とすることで「一番背が高い人」のように「その人」と特定される感じになるわけです。

the ＋ 最上級

the

最上級
（もっとも〜）

ひとつに定まる

一番○○な人・物

また「何の中で一番なのか」を表すために、最上級の後に「〜の中で」を表す of や in がよく使われるので、あわせて確認しておいてください。

① of ＋全体：全体を〜とした中で
  ・of the three（3人の中で／3つの中で）
  ・of all animals（全ての動物の中で）
② in ＋範囲：〜の範囲の中で
  ・in my class（私のクラスの中で）
  ・in Japan（日本の中で）

┌─ **ポイント** ──────────────────────┐
│　**3つ以上のものを比べる：**　　　　　　　　　　　　　│
│　　**the＋最上級＋** $\begin{Bmatrix} \textbf{of＋全体} \\ \textbf{in＋範囲} \end{Bmatrix}$ **(〜の中で一番〇〇)**　│
└────────────────────────────────┘

特別な形の比較級・最上級

比較級・最上級は基本的に tall - taller - tallest のように変化しますが、特別な形になるものもあります。

① **-e**→ -er , -est	**large** (大きい) - larger - largest
② -y→ -ier , -iest 語尾が「子音＋-y」	**easy** (かんたんな) - easier - easiest **busy** (忙しい) - busier - busiest **early** (早い) - earlier - earliest
③ **子音を重ねて** -er , -est 語尾が「短母音＋子音」	**big** (大きい) - bigger - biggest **hot** (熱い) - hotter - hottest
④ 不規則	**good** (よい) **well** (うまく、十分に) }- better - best **many** (多くの【数】) **much** (多くの【量】) }- more - most **bad** (悪い) - worse - worst **little** (少しの【量】) - less - least

more, most を用いる比較級・最上級

形容詞や副詞が長い単語の場合は、比較級・最上級をつくるときに more, most を用いるパターンがあります。

Soccer is more popular than tennis.（サッカーはテニスより
も人気がある）

Soccer is the most popular in my class.（サッカーは私のク
ラスの中では一番人気がある）

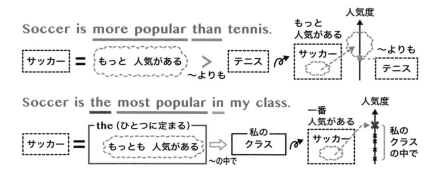

　more popular は「もっと人気がある」という意味で、most
popular は「もっとも人気がある」という意味です。

　many や much の比較級が more（もっと多くの）で、最上級が
most（もっとも多くの）です。

$$
\left.\begin{array}{l}
\textbf{many（多くの【数】）} \\
\textbf{much（多くの【量】）}
\end{array}\right\}
\begin{array}{cc}
比較級 & 最上級 \\
\text{- more} & \text{- most} \\
\text{(もっと多くの)} & \text{(もっとも多くの)}
\end{array}
$$

　popular のように長い単語の場合は、語尾に -er や -est をつけ
るのではなく、先に more や most を用いて比較級・最上級を表し
ます。

┌─ ポイント ─┐

長い単語の場合 ： 比 more＋形容詞・副詞（もっと〇〇）

　　　　　　　　　最 most＋形容詞・副詞（もっとも〇〇）

比較級・最上級で more, most を用いる代表的な単語を確認して
おきましょう。

形容詞	比較級（もっと〜）	最上級（もっとも〜）
beautiful（美しい）	more beautiful	most beautiful
difficult（難しい）	more difficult	most difficult
interesting（面白い）	more interesting	most interesting
popular（人気のある）	more popular	most popular
famous（有名な）	more famous	most famous

Health is more important than wealth.（健康は財産よりも
もっと重要です）

Mr. Imai was the biggest in his class.（今井くんは彼のク
ラスで一番大きかった）

ことばの研究室

■ どのような場合に more, most を用いるの？

今井　more, most は「長い単語」のときに用いるという説明でしたけど、何を基準に判断すればいいんですか？

遠藤　結論から言うと、3音節以上の単語は長いとみなして、more や most を使います。2音節の単語はケースバイケースなので、覚えていただくのが早いと思いますね。

今井　音節って何ですか？

遠藤　音のまとまりのことで、母音を中心に音を区切っていくのです。たとえば、beautiful であれば beau・ti・ful のように3つの音のまとまりに区切ることができるので、3音節の単語ということになります。

今井　あー、要するに音が長いってことですか。

遠藤　そういうことですね。beautiful に -er をつけた beau・ti・ful・er は言いにくいから、more をつけるという感覚でよいですよ。あと2音節はケースバイケースと言いましたが、英会話などで迷ったらとりあえず more, most をつけてしまえばいいですよ。

今井　えっ、そんな適当でいいんですか？

遠藤　もちろんです。意味は通じるので安心してください。

今回は2つのものを比べて差がない場合の表現方法を確認しておきましょう。「〜と同じ背の高さ」は as tall as で表します。これを否定した not as tall as は「〜ほど背が高くない」となることもおさえておきましょう。

as 原級 as(〜と同じ程度の○○)

Taro is as tall as Ken.（太郎は憲と同じ背の高さです）

　　as tall as 〜 は「〜と同じ背の高さ」という意味です。tall を「原級」と呼びます。

	原級	比較級	最上級
形容詞：	tall	- taller	- tallest
副　詞：	fast	- faster	- fastest

　　原級とは「形容詞や副詞そのままの形」のことです。ふつうの文では形容詞や副詞という名称でよいのですが、ものを比べる表現として使うときには、比較級・最上級と区別するために原級という名

称を用います。

　原級比較とは「形容詞・副詞そのままの形を用いた比較表現」ということです。

　as tall as という表現には as が 2 つ出てきますが、それぞれ異なった働きをしているので、確認しておきましょう。

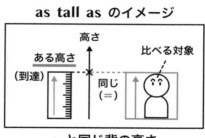

as tall as のイメージ

〜と同じ背の高さ

　1 番目の as は副詞として使われており、tall（高い）→ as tall（ある高さ）と意味を修正しています。

　2 番目の as は接続詞として使われており、「＝」でつなぐ働きをしています。

　as tall as 〜 は「ある高さである、その高さとは〜と同じ」となるので、「〜と同じ高さ」という意味になります。

> **ポイント**
>
> 2つを比べて差がない：
>
> as 原級 as 〜（〜と同じ程度の〇〇）

not as 原級 as（〜ほど○○ではない）

Jiro is not as tall as Taro.（二郎は太郎ほど背が高くない）

　not as tall as 〜 は「〜ほど背が高くない」という意味です。

　しかし、as tall as 〜 が「〜と同じ背の高さ」であれば、not as tall as 〜 は「〜と同じ背の高さではない」という意味になりそうですよね。どうして「〜ほど背が高くない」という意味になるのか確認しておきましょう。

not as tall as のイメージ

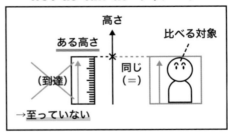

〜ほど背が高くない

　実は as には「到達」のニュアンスが含まれています。そのため as tall は正確に言うと「ある高さに至る」という意味になります。

　ここから、not as tall as 〜 は「ある高さまで至っていない、その高さとは〜と同じ」→「〜ほど背が高くない」という意味になるわけです。

２つを比べて〜に至っていない：

not as 原級 as 〜（〜ほど〇〇ではない）

Mr. Imai works as hard as I.（今井くんは私と同じくらい一生懸命働きます）

I'll check it as soon as possible.（私はそれをできる限り早くチェックします）

※ as soon as possible「できる限り早く」　ASAPとも略します。

第35章　接続詞 when

今回は「〜の時」を表す when について確認していきます。when は疑問詞（いつ〜？）でも使われるので、接続詞と疑問詞の区別についてもチェックしておきましょう。

文1+when+文2

He lived in Tokyo when he was a child.（彼は子供だった時、東京に住んでいました）

　when he was a child は「彼が子供だった時」という意味です。この when は接続詞として働いています。接続詞は文（または文の要素）を結びつける働きをします。

> Mr. Imai wore a camouflage uniform when he played hide and seek.（今井くんはかくれんぼをした時、迷彩服を着ていました）
>
> ※ camouflage uniform「迷彩服」　hide and seek「かくれんぼ」

When+文2, 文1

When he was a child, he lived in Tokyo.（彼は子供だった時、東京に住んでいました）

　when＋文 の部分は最初にもってくることもできます。この語順は日本語の言葉の並べ方に近いので、私たちにとって親しみやすいものですが、英語におけるふつうの語順と異なっています。
　この形式は「〜の時」を強調したいときに使われます。また、この場合は文の区切りにカンマを入れる必要があります。

■ 接続詞 when と疑問詞 when の区別

　when を文の最初にもってくる使い方として、接続詞以外に疑問詞として使うパターンがあります。

疑問詞：**When** did he play soccer?（彼はいつサッカーをしましたか？）

接続詞：**When** he was a child, he lived in Tokyo.（彼は子供だった時、東京に住んでいました）

疑問詞（いつ〜?）	接続詞（〜の時）
When did he play ...	**When he was a child** ...
疑問文の語順	肯定文の語順

　when の後が疑問文の語順なら「いつ〜？」（疑問詞）となり、when の後が肯定文の語順なら「〜の時」（接続詞）となります。

> **ポイント**
> **When** ＋ 疑問文の語順（いつ〜?）
> **When** ＋ 肯定文の語順（〜の時）

第36章　接続詞 if, because

　接続詞 if は「もし〜なら」という意味です。if で単なる前提条件を述べるときは、動詞は現在形を使うことに注意してください。
　接続詞 because は「〜なので」という意味ですが、文の最初にもってくるのは推奨されていないことをおさえておきましょう。

接続詞 if

I will play soccer if it is sunny tomorrow.（もし明日晴れたら、私はサッカーをします）

　if it is sunny tomorrow は「もし明日晴れたら」という意味です。この if は接続詞として働いており、意味は「もし〜なら」です。

if のイメージ

もし A なら

■ if は文の最初にもってくることができる

If it is sunny tomorrow, I will play soccer.（もし明日晴れたら、私はサッカーをします）

　接続詞 when と同じように、if も文の最初にもってくることができます。ただし、if を文の最初にもってきたときは、場合分けのようなニュアンスが強くなります。

「晴れだったらサッカー、雨だったら家でゲーム」のような感じで、サッカーをしない場合も視野に入れた表現になるので、「サッカーをしよう！」という気持ちは少しトーンダウン気味になります。

will ではなく動詞の現在形が使われる理由

（×）I will play soccer if it will be sunny tomorrow.（もし明日晴れるだろうなら、私はサッカーをします）

　さきほどの例文との違いは if 文の中で will が使われていることですが、こちらは誤文となります。

　tomorrow があるからといって will を入れないようにしましょ

う。「未来＝ will」ではありません。あくまで will が表しているのは「こうだろう、こうしよう」という「思い」です。

そのため、will を入れることで「晴れるだろうなら」のように前提条件がはっきりしなくなってしまうことがあります。

「晴れるなら」のように単なる前提を言いたい場合は、動詞の現在形を使うことに注意してください。

┌─**ポイント**─┐

if 文で「そのことが起きるなら」と単なる前提を言う場合
will ではなく、動詞の現在形を使う

接続詞 because

I went to bed early because I was tired. （私は早く寝ました、その理由は疲れていたからです）

because I was tired は「その理由は疲れていたからです」という意味です。この because も接続詞として働いています。

because は「その理由は〜だから」と、理由を述べるときに使います。また、because の後には「聞き手がまだ知らない情報」をもってきます。

■ because を文の最初にもってくるのは非推奨

（△）Because I was tired, I went to bed early.

because は when や if と異なり、文の最初にもってくるのは推奨されていません。どうしてなのか、その理由を説明しておきましょう。

because は元々 by（〜によって）＋ cause（理由、原因）から成り立っている単語です。そのため、because を文の最初にもってくるのは、by を文の最初にもってくるのと同じような感じになります。

しかし、by the way（ところで）のような慣用句を除き、前置詞から文を始めることは英語では稀です。これと同じ感覚で、because を文の最初にもってくるのは非推奨となっているわけです。

※何か理由を聞かれたときに、Because（その理由は）と文頭にもってきて答えるのは大丈夫です。

なお、さきほどの例文に対応する自然な日本語訳は「私は疲れていたので、早く寝ました」になります。日本語から英語を考えると because から文を始めがちになってしまうのでご注意ください。

> If you have any questions, feel free to contact us.（もし何か質問があれば、気兼ねなく連絡してきてください）
>
> I like Eevee because it's so cute.（私はイーブイが好きです、その理由はとてもかわいいからです）

ことばの研究室

■ because は to 不定詞を使うときの感覚に似ている

今井 because の語源が by + cause で、だから文頭にもってきにくいという説明はなるほどなと思いました。

遠藤 実は、because を使うときの感覚は to 不定詞を使うときの感覚に似ているところがあるのですよ。

今井 えっ、どういう感覚ですか？

遠藤 結論から言うと「いきなりぶん投げて、後で足りていない情報を補う」という感覚です。次の例文で確認してみましょう。

Taro was busy because he had a lot of homework. （太郎はたくさん宿題があったので忙しかった）

Taro was surprised to know the truth. （太郎は真実を知って驚いた）

今井 あー、Taro was busy や Taro was surprised のようにいきなりぶん投げておいて、後でその理由を説明するってパターンですね。確かに同じような感覚になりますね。

遠藤 私たち日本人的には「ちょっともったいぶって、聞き手を引きつけてやろう」というくらいの感覚で使うとちょうどよいと思いますよ。

第37章　受け身

　　今回は「受け身」がテーマです。まずは「主語＋be 動詞＋過去分詞」の形で、「〜される」という受け身の意味を表すことをおさえておきましょう。過去分詞はだいたい過去形と同じ形をしていますが、特別な形になる過去分詞も要チェックです。

受け身

The church was built in 1882.（その教会は 1882 年に建てられた）

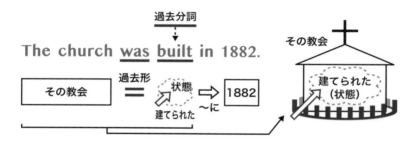

　　例文における built を「過去分詞」と呼びます。was built で「建てられた」という受け身の意味を表しています。
　　過去分詞はだいたい過去形と同じ形をしていることが多いですが、過去形とは異なる働きをします。

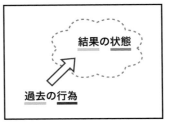

過去分詞のイメージ

【特徴】
✓ 過去の行為による
　結果の状態を表す
✓ 受け身と完了の
　ニュアンスをもつ

〜された状態、〜した状態

過去分詞のイメージは「過去の行為による結果の状態」です。

ここから「〜された状態」「〜し終えた状態」という２つの意味が出てきて、それぞれ「受け身」「完了」の用法につながります。

受け身
（主語 ＋ be 動詞 ＋ 過去分詞）

〜される、〜されている

主語 ＝ 〔be動詞 過去分詞〕 で
主語が行為を受ける
ことになります

英語では「主語＋ be 動詞＋過去分詞」の形で、主語が何かの行為を受けること（受け身）を表すことができます。意味は「〜される、〜されている」になります。

┌─ ポイント ──────────────────────┐
　受け身
　主語 ＋ be 動詞 ＋ 過去分詞 ：　主語が行為を受ける
　（〜される、〜されている）
└──────────────────────────────┘

過去分詞の形

過去分詞の形はだいたいにおいて過去形と同じです。

動詞の原形　　過去形　　過去分詞
play（する） - played - played

ただし、過去形と異なる形をしている過去分詞もあります。よく出てくる特別な形の過去分詞を確認しておきましょう。

英単語	意味	過去形	過去分詞
be	＝	was/were	been
break	壊す	broke	broken
come	来る	came	come
do	する	did	done
eat	食べる	ate	eaten
give	与える	gave	given
go	行く	went	gone
know	知っている	knew	known
see	見る	saw	seen
show	示す	showed	shown
speak	話す	spoke	spoken
take	取る	took	taken
write	書く	wrote	written

第37章
受け身

213

受け身の否定文・疑問文

■ 否定文

Taro is not invited to the party.（太郎はそのパーティーに招待されていません）

　受け身は be 動詞の文なので、否定文は be 動詞の後に not を入れてつくります。

■ 疑問文

Is the room cleaned every day?（その部屋は毎日掃除されますか？）
　Yes, it is.（はい、掃除されます）
　No, it isn't.（いいえ、掃除されません）

　受け身の疑問文は be 動詞を主語の前に出してつくります。また、答えるときは be 動詞で答えます。

Stamps are sold in a post office.（切手は郵便局で売られています）

"When was the smartphone invented?" "It was invented in 1992."（「スマホはいつ発明されましたか？」「1992年です」）

受け身の形をとる連語表現

「be 動詞＋過去分詞」という受け身の形をとる連語表現で、よく出てくるものをおさえておきましょう。

・be interested in ～ （～に興味がある）
・be surprised at ～ （～に驚く）
・be covered with ～ （～で覆われている）
・be known to ～ （～に知られている）
・be made of ～ （～で作られている）【素材】
・be made from ～ （～から作られている）【原材料】

be interested で「興味を起こさせられた状態である」→「興味がある」となります。

ことばの研究室

■ 日本語では受け身は能動と同じくらい使われる

遠藤 皆さん英語の受け身表現を習うと受け身文をよく使うようになってしまうのですが、実は英語の日常会話では受け身表現はそこまで使われていないのです。

今井 えっ、そうなんですか？

遠藤 はい。別の言い方をすれば、日本語では受け身が多用されるとも言えるのですが、英語では日本語ほどは受け身表現を使わないのです。

今井 へぇ、そうなるには何か理由があるのですか？　また物の見方が違っているから？

遠藤 まさにその通りです。どう違っているのか、まず日本語における物の見方について次の 2 つの文で考えてみましょう。

A：ルパンが銭形に捕まえられた（受け身）
B：銭形がルパンを捕まえた（能動）

　質問ですが、もし今井くんが銭形警部の上司だったとしたら、A と B のどちらの言い方をすると思いますか？

今井 僕が上司だったら、「銭形くん、ルパンを捕まえたようだな。お手柄だ！」みたいに言いそうなので、B の言い方をしますね。

遠藤 それでは、今井くんがルパンの仲間だったとしたら、どうですか？

今井 そりゃ、A の方ですよ。不二子ちゃんあたりが「どうしましょう、ルパンが銭形に捕まえられたわ」みたいに言ってそうですもん。

遠藤 そうですね。このように日本語だと、どちらの立場に立つのかによって受け身文を使うか能動文を使うかが変わります。つまり、日本語の受け身文は能動文と同じくらい使われるものなのです。

A：ルパンが銭形に捕まえられた

B：銭形がルパンを捕まえた

■ 英語では「行為の発信源」を主語にして文を始める

遠藤　次は英語における物の見方について考えてみましょう。さきほどの2つの日本語文ですが、英語では基本的に次の例文1つで表現されます。

Zenigata caught Lupin.（銭形はルパンを捕まえた）

今井　なんだかお尻のあたりがムズムズする表現ですね。僕だったらルパン側に立った Lupin was caught by Zenigata.（ルパンは銭形に捕まえられた）のように言いたくなってしまいます。

遠藤　日本語的な発想から言えば、そうなりますよね。でも、英語では「行為の発信源」である Zenigata を主語にして文を始めるのが基本になります。英語は「真っ白なキャンバス」に状況を描いていくので、日本語のように誰かの視点を前提にしないのです。

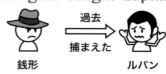

Zenigata caught Lupin.

過去
捕まえた

銭形　　　　ルパン

行為の発信源を主語にする

今井　英語では視点を外して、どちらからどちらに行為が向かうのかで判断しないといけないんですね。

■ 英語では行為者を言わないときに受け身を使う

今井 英語では日本語ほど受け身を使わないことはわかりましたが、それではどういうときに受け身を使うのですか？

遠藤 基本的には「行為者が不明だったり、重要ではなかったり、明示したくないとき」に受け身を使うと思ってください。それ以外の場合もありますが、どちらかというと聞き手に伝わりやすくするためのテクニックになるので、それらは英語に慣れてから徐々に知っていけばいいと思います。

今井 行為者が不明な場合ですか……、例をあげてもらえますか？

遠藤 本文で取り上げた例文で考えてみてください。

The church was built in 1882.（その教会は1882年に建てられた）
Taro is not invited to the party. （太郎はそのパーティーに招待されていません）

　このように誰が建てたのかわからない場合や誰が招待するのかは重要ではない場合などに受け身が使われます。

今井 なるほど。要するに by 〜 と最後につけないようなときが英語における受け身の使いどころというわけですね。

遠藤 そのように考えてもらっていいですよ。

今井 そう考えると、学校で習う能動文から受け身文への書き換えって、ちょっと微妙ですね。

遠藤 能動文と受け身文で構造がどう変化するのかを理解するという意味ではいいのですけどね……。でも、能動文から書き換えた受け身文は、実際にはあまり使わない文ばかりになってしまうので、確かにちょっと微妙です。そのあたりはさらっと流して進めていってもらえたらと思います。

よくわからないことは
聞いてみよう

質問どうぞ

日本語は〜だけど
英語は……なんです

遠藤

う〜ん
よくわからん
…

それって
○○って
ことですか？

そうですよ

そういえば

オレは直接
聞けますが…

読者さんが
よくわからんときは
どうすればいい
ですか？

質問フォームから
ご連絡ください

質問
できるん
ですね！

▼質問フォーム

英会話エクスプレス出版　検索
→「中学英語イメージリンク」へ
https://www.eikaiwa-express.
com/junior-high-school-gram
mar-imagelink/

▼備考

・質問以外のファンレターも
　お待ちしております。
・「この英文モデルは
　こうした方がよい」など
　ご提案もぜひお寄せください。

▼ご注意

・すべての質問に必ずお答えする
　わけではありません。
・個別の学習相談には応じられ
　ません。

第38章　現在完了形

現在完了形は「主語 + have +過去分詞」の形で、「〜した状態をもっている」が基本的なイメージになります。ここから「継続」「経験」「完了」という3つの用法が出てきます。

※現在完了形はイラストが複雑なことから、毎回イラストを丁寧に読み解いていると、途中で疲れてしまう可能性があります。難しいなと感じたら、最初は流し読みしてくださいね。

現在完了形の基本イメージ

I have lived in Osaka for two years.（私は2年間大阪に住んでいます）

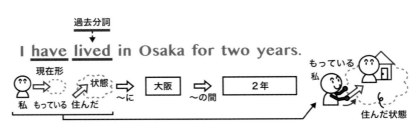

　have lived で「（ある期間ずっと）住んでいます」という意味になります。このように「have +過去分詞」の形を「現在完了形」と呼びます。

　なぜ現在完了形がこのような意味を表すのか、それは過去分詞の働きによるところが大きいので、まずは過去分詞のイメージを再確認しておきましょう。

過去分詞のイメージ

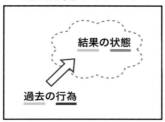

【特徴】

✓ 過去の<u>行為</u>による
  結果の<u>状態</u>を表す

✓ 受け身と完了の
  ニュアンスをもつ

～された状態、～した状態

　過去分詞は「過去の行為による結果の状態」です。そのため、現在完了形（have ＋過去分詞）は「～した状態をもっている」が基本的なイメージになります。

現在完了形
（主語 ＋ **have** ＋ 過去分詞）

過去分詞の「過去の行為」は主語がやったことになります

（ずっと）～している
～したことがある、～してしまっている

　主語自身が過去に何かをやって（やりはじめて）、その結果としてある状態を現在もっているというわけです。イラストでは、主語の右手に「過去にやったこと」、左手に「その結果を現在もっていること」を表しています。

　この基本イメージから次の３つの意味が出てきます。それぞれの場合に分けて確認していきましょう。

・過去に～の状態になり、いまもその状態だ → ずっと～している
・過去に～した経験をもっている → ～したことがある
・過去に～した結果をいまもっている → ～してしまっている

> **ポイント**
>
> 現在完了形
> 主語＋**have**＋過去分詞 ： 「過去の行為」は
> （〜した状態をもっている） **主語がやったこと**になる

■ 現在完了の継続用法「（ずっと）〜している」

I have been busy since last week.（私は先週からずっと忙しい）

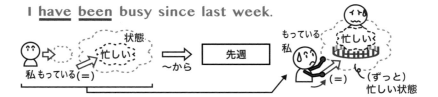

　have been busy は「ずっと忙しい」という意味で、継続を表しています。

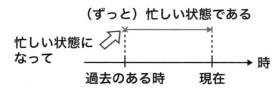

「過去のある時に忙しい状態になって、いまもその状態である」→「ずっと忙しい」となります。

■ 継続用法でよく使う単語

　継続用法では、期間や開始時点を表すフレーズをよく使います。
・for a week（１週間）、for five months（５ヶ月間）
・since yesterday（昨日から）、since 1988（1988年から）

ポイント

現在完了の継続用法（（ずっと）〜している）

よく使う単語 ： **for** ＋ 期間（〜の間）

since ＋ 開始時点（〜から）

否定文

He has not eaten anything since yesterday.（彼は昨日から何も食べていません）

　現在完了の否定文は have の後に not を入れてつくります。また、not ＋ anything で「何も〜ない」という意味になっています。

ポイント

現在完了の否定文 ： **have** の後に **not** を入れる

疑問文

Have you lived in Osaka for a long time?（あなたは大阪に長い間住んでいますか？）

　Yes, I have.（はい）

　No, I haven't.（いいえ）

　現在完了の疑問文は have を主語の前に出してつくります。また、現在完了の疑問文には have で答えます。

ポイント

現在完了の疑問文 ： **have** を主語の前に出す

現在完了の経験用法「～したことがある」

I have heard the song twice. （私はその歌を2回聞いたことがある）

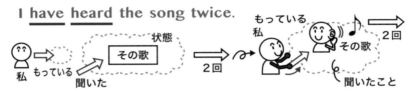

　　have heard は「聞いたことがある」という意味で、経験を表しています。「過去のある時に聞いた経験をもっている」→「聞いたことがある」というわけです。

■ have been to ～（～に行ったことがある）

I have been to Australia before. （私は以前オーストラリアに行ったことがある）

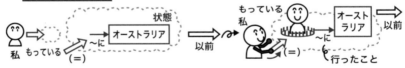

　　have been to ～ は「～に行ったことがある」という意味です。「過去のある時に行った経験をもっている」→「行ったことがある」というわけです。

> **ポイント**
> **have been to ～（～に行ったことがある）**

■ 経験用法でよく使う単語

経験用法では、回数や期間などを表す単語をよく使います。
・once（1回）、twice（2回）、three times（3回）
・before（以前）

> **ポイント**
>
> **現在完了の経験用法（〜したことがある）**
> **よく使う単語：once（1回）, twice（2回）**
> **three times（3回）, before（以前）**

否定文

I have never been to Hawaii.（私は一度もハワイに行ったことがない）

have never been to 〜 で「一度も〜に行ったことがない」という意味になります。
「〜したことがない」と言うときには、not の代わりに「一度もない」という意味の never がよく使われます。

> **ポイント**
>
> **I have never 〜（一度も〜したことがない）**

Have you ever been to Okinawa?（あなたは沖縄に行ったこと
がありますか？）

　　Yes, I have.（はい）
　　No, I haven't.（いいえ）

　Have you ever been to ～ で「（いままでに）～に行ったことが
ありますか？」という意味になります。
　「～したことがありますか？」と相手に経験を尋ねるときには、「い
ままでに」という意味の ever がよく使われます。

┌─ **ポイント** ─────────────────────────┐
│　**Have you ever ～**（（いままでに）～したことがありますか？）
└──────────────────────────────────┘

▌ 現在完了の完了用法「～してしまっている」

I have just finished my homework.（私はちょうど宿題を終え
たところです）

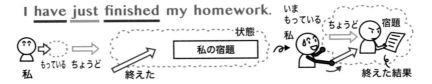

　have just finished は「ちょうど終えたところ」という意味で、
完了を表しています。
　「過去のある時に終えた結果をいまもっている」→「終えている」
となりますが、just（ちょうど）があるので「ちょうど終えたところ」
という意味になるわけです。

■ 完了用法でよく使う単語

完了用法では、already（すでに）や just（ちょうど）などの単語をよく使います。

> ┌ ポイント ┐
> **現在完了の完了用法（〜してしまっている）**
> **よく使う単語 ： already（すでに）, just（ちょうど）**

否定文

He has not finished his homework yet.（彼はまだ宿題を終えていません）

「まだ〜していない」と言うときには、「いままでのところ」という意味の yet がよく使われます。

have not finished で「終えていません」となり、これに yet を加えることで「いままでのところ終えていません」→「まだ終えていません」となります。

疑問文

Have you finished your homework yet?（あなたはもう宿題を終えていますか？）
　Yes, I have.（はい）
　No, I haven't.（いいえ）

「もう〜しましたか？」と相手に尋ねるときにも、「いままでのところ」を表す yet がよく使われます。

Have you finished で「終えていますか？」となり、これに yet を加えることで「いままでのところ終えていますか？」→「もう終えていますか？」となります。

ポイント

否定文 ： I have not ～ yet . （まだ～していません）

疑問文 ： Have you ～ yet ？（もう～していますか？）

"How long have you been married?" "I've been married for 10 years." （「結婚してどれくらいですか？」「10年です」）

Mr. Imai has been to Mongolia. （今井くんはモンゴルに行ったことがある）

Mr. Imai has just cleaned his drone. （今井くんはちょうどドローンをきれいにしたところです）

ことばの研究室

■ 過去形や現在形との違い

遠藤　今回、現在完了形を習ったわけですが、過去形や現在形との違いについて確認しておきましょうか。次の例文の意味を考えてみてください。

現在形：I don't eat breakfast.
過去形：I didn't eat breakfast.
現在完了形：I haven't eaten breakfast.

今井　また微妙に面倒くさそうな例文ですね。えーと、こんな感じじゃないですか。

現在形：**私は朝食を食べません。**
過去形：**私は朝食を食べませんでした。**
現在完了形：**私は朝食を食べていません。**

遠藤　おぉっ、すばらしい、全部正解ですよ！　特に、動作を表す動詞の現在形は「習慣」を表すので、「普段朝食を食べない」という意味になるのがポイントですね。

今井　これくらい朝飯前ですよ。でも……、自分で訳しておいてなんですが、過去形と現在完了形って何が違うのかよくわからないですね。

遠藤　確かにどちらも朝食を食べなかったという意味では同じですからね。ポイントは、過去形は「過去のこと」、現在完了形は「現在のこと」を言いたいときに使うということです。

今井　現在完了形は「現在のこと」ですか？

遠藤　そうです。これは前後の文脈がないとわかりにくいので、過去形と現在完了形に前後の文脈を加えてみましょう。

過去形：**私は朝食を食べませんでした。なぜなら、朝起きたのが遅かったからです。**

現在完了形：**私は朝食を食べていません。だから、いますご くお腹が空いています。**

今井 あー、なるほど。「いまお腹が空いている」のような現在のこと につなげたいときは、「朝食を食べていません」のような現在完了形を 使うんですね。

遠藤 そうです。逆に「朝起きたのが遅かった」のような過去のことに つなげる場合は、「朝食を食べませんでした」のような過去形を使うわ けです。

■ 現在完了形では過去の時を表す表現は一緒に用いられない

遠藤 ここでちょっとショッキングなことをお伝えしないといけませ ん。

今井 なんですか、藪から棒に。

遠藤 日本語では「2年前オーストラリアに行ったことがある」のよう な表現をよく使いますが、実はこれ、英語では1つの文で表せないので す。

今井 え？ でも、本文で「以前オーストラリアに行ったことがある」っ て例文が出てきていましたよね。どういうことなんですか？

遠藤 日本語はよく似ていても、英語では次のように表現が分かれるの です。

| 以前オーストラリアに 行ったことがある | → | I have been to Australia before. |
| 2年前オーストラリアに 行ったことがある | → | I have been to Australia. I went there two years ago. |

今井 ちょっと何言ってるかわかんないです。「2年前オーストラリア に行ったことがある」は I have been to Australia two years ago. ではダ メなんですか？

遠藤　残念ながらダメなんです。その理由を説明しますね。

（○）I have been to Australia before.
（×）I have been to Australia two years ago.

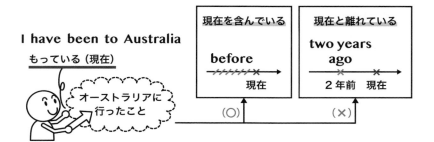

I have been to Australia
もっている（現在）
オーストラリアに
行ったこと

現在を含んでいる
before
現在
（○）

現在と離れている
two years
ago
2年前　現在
（×）

　ポイントは have been to は「現在のことを述べている」ということです。そのため、時を表す表現も「現在」を含むものでなければいけないのです。

今井　あー、時制がズレてしまうのか。現在形の have に対して、過去の時を表す two years ago は一緒に用いられないってことですね。

遠藤　そういうことです。逆に言えば、「2年前」という過去の時を表したいならば、動詞の時制も過去形にしないといけないわけです。

　まとめると、日本語の「2年前オーストラリアに行ったことがある」は、「①現在の経験」と「②過去の出来事」に分ける必要があり、① I have been to Australia. と② I went there two years ago. という2つの文に分けて表すことになるわけです。

今井　うーん、理屈はわかりましたが、2つに分けるのは正直面倒くさいですね。

遠藤　その気持ちはよくわかります。でも、どうしても言語ごとに表しにくいことはあるのです。お互い様なので、今回のような英語できれいに表せない表現についても受け入れてあげてほしいなと思います。

第39章　現在完了進行形

　現在完了進行形は「have been ＋動詞の ing 形」の形で「ずっと～し続けている」という意味を表します。現在完了の継続用法（ずっと～している）とよく似ていますが、現在完了の継続用法は「状態の継続」、現在完了進行形は「動作の継続」という違いがあります。

現在完了進行形とは

Taro has been playing the game since 8:00. （太郎は８時からずっとそのゲームをし続けています）

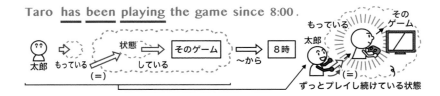

　have been playing で「ずっとプレイし続けています」という意味になります。「have been ＋動詞の ing 形」の形を「現在完了進行形」と呼びます。

have been + 動詞の ing 形

もっている
②
(=)
①

①過去のある時から ②いまも〜している

ずっと〜し続けている

┌─ **ポイント** ─────────────────────────────┐

　現在完了進行形

　have been + 動詞の ing 形（ずっと〜し続けている）

└──┘

現在完了の継続用法との違い

　現在完了進行形の意味「ずっと〜し続けている」は、現在完了の継続用法の意味「ずっと〜している」と似ているので、その違いを確認しておきましょう。

現在完了の継続：Taro has been busy since last week.（太郎は先週からずっと忙しい）

現在完了進行形：Taro has been playing the game since 8:00.（太郎は8時からずっとそのゲームをし続けています）

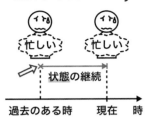

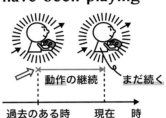

　現在完了の継続用法は「忙しい状態の継続」を表しています。一方で、現在完了進行形は「ゲームをしている状態の継続」を表しています。両者の違いをわかりやすく言えば、「状態の継続」と「動作の継続」ということになります。

　また、現在完了進行形の方は、いまの時点でも「太郎はゲームをしているところ」であることを表しています。つまり、現在完了進行形には「まだ続く」というニュアンスが含まれるわけです。

> ## ポイント
> 現在完了進行形　　　：　動作の継続（まだ続く）
> 現在完了の継続用法　：　状態の継続

　現在完了の継続用法には「まだ続く」ニュアンスは含まれていませんが、だからと言って「もうおしまい」というわけではありません。

　現在完了の継続用法は、あくまでも「いままである状態が続いていること」を述べているだけなので、まだ続くのか、もうおしまいなのかは文脈によって変わります。

"How long has he been watching TV?" "He's been watching TV since this morning."（「彼はテレビをどれくらい見続けていますか？」「彼は今朝から見続けています」）

I've been waiting for two hours.（私はもう２時間も待ち続けています）

※ He's は He has の短縮形。　I've は I have の短縮形。

第40章　形式主語構文 It is ～（for …）to do

　ここまで過去分詞を使った受け身と現在完了形について見てきました。ここからは to 不定詞を使った表現を3章にわたって見ていきます。今回は形式主語構文 It is ～ to do（…することは～です）です。なぜ it が形式主語として使われるのかに注目して読み進めてください。

It is ～ to do（…することは～です）

It is interesting to visit foreign countries.（外国の国々を訪れるのは面白いです）

　例文における it を「形式主語」と呼びます。It is interesting（面白いです）→ to visit foreign countries（外国の国々を訪れることは）という意味になります。

形式主語

　it が形式主語として使われる理由は、it が「空」のイメージを含んでいるからです。このことを、これまで習った it の働きから確認しておきましょう。

　第12章で出てきたように it は「前述の物そのものを引き継ぐ」働きや「時・天候・状況などを表す」働きをします。

　・前述の物そのものを引き継ぐ it は「空の容器」のようなもの。

　・時・天候・状況などを表す it は「空の背景」のようなもの。

前述の物そのものを引き継ぐ

時・天候・状況などを表す

　このように it は「空」のイメージを含んでいるため、本物の替わりに置かれる形式主語としても使えるわけです。

形式主語 it と to不定詞

　形式主語 it を用いた It is interesting は「面白いです」という意味になります。しかし、主語が「空」なので、これだけでは何が面白いのかわかりません。そこで、to visit ... と to 不定詞を続けることで、何が面白いのかを説明しています。

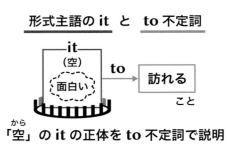

形式主語の **it** と　**to** 不定詞

「空」の **it** の正体を **to** 不定詞で説明

形式主語を用いるパターン

　形式主語を用いたもので、よく出てくる表現を確認しておきましょう。
- It is easy to do（〜することは簡単です）
- It is difficult to do（〜することは難しい）
- It is impossible to do（〜することは不可能です）
- It is interesting to do（〜することは面白い）
- It is nice to do（〜することは良いです）
- It is dangerous to do（〜することは危ない）
- It is important to do（〜することは重要です）

It is 〜 for A to do(…することは A にとって 〜です)

It is difficult for me to read the book.（その本を読むのは私にとって難しい）

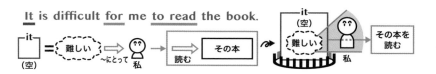

　It is difficult（難しいです）→ for me（私にとって）→ to read the book（その本を読むことは）という意味になります。

ポイント

It is 〜 for ● to do（…することは●にとって〜です）

It's nice to see you again.（またお会いできてうれしいです）

It was not easy for me to find Mr. Imai because he wore a camouflage uniform.（今井くんを見つけるのは私にとって簡単ではありませんでした。その理由は彼が迷彩服を着ていたからです）

ことばの研究室

■ to 不定詞を主語にしたらダメなの？

今井　形式主語構文ですけど、to 不定詞を主語にしたらダメなんですか？

To visit foreign countries is interesting.

　こんな感じで to 不定詞を主語にもってきた方がわかりやすいと思うんですが……。

遠藤　いい質問ですね。これに関しては「to 不定詞を主語にもってくると主語が長くなる。しかし、英語では長い主語は好まれないので、代わりに形式主語を用いる」という説明がよくされるのですが、聞いたことはありますか？

今井　あっ、それ聞いたことあります。でも、To visit foreign countries なんて全然長くないですよね。実際、これより長い主語の英文を何度も見たことがあるので、その説明では納得できないです。

遠藤　長い主語はわかりにくいという側面は確かにありますが、実はこれ、主語だけの話ではないのです。

　前に、英語は「静」と「動」を繰り返して状況を描いていくという話をしましたよね。これに関係するのですが、英語ではなるべく早く「静→動→静」までを述べておきたいのです。

今井　目的語や補語まで早く言い切りたいってことですか？

遠藤　そうです。とりあえずそこまで言っておいてから、後で足りていない情報を補うのが、英語における「ふつう」なのです。

今井　なるほど。確かに形式主語を使えば It is interesting のようになるので、早く「静→動→静」までたどり着けますね。

遠藤　なるべく早く「静→動→静」まで言い切りたいというのは、英語全般に当てはまることなので知っておくとよいですよ。

第41章
疑問詞 to do
(what to do など)

第41章　疑問詞 to do（what to do など）

　to 不定詞を使った表現の第 2 弾は what to do や how to do のような「疑問詞 + to 不定詞」です。ポイントは what to do（何をするべきか）で 1 つの名詞のような固まりとして扱うことです。

※疑問詞 to do は日本語の語順に近い表現なので、日本語訳と照らし合わせて覚えることをおすすめします。今回は逆にイラストの方がわかりにくくなっています。仕組みを知りたい方以外は、さらっと流してください。

how to do（どうやって〜するべきか）

I didn't know how to play soccer. （私はどうやってサッカーをするべきか知らなかった）

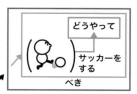

　how to play soccer は「どうやってサッカーをする（べき）か」という意味です。how to do で「どうやって〜するべきか、どうやって〜したらいいか」という意味になります。

how to do（how + to 不定詞）

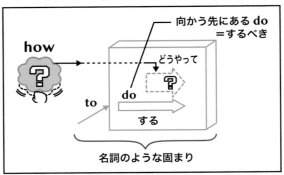

どうやって〜するべきか
どうやって〜したらいいか

　how to do は、疑問詞 how と to 不定詞 to do の組み合わせです。疑問詞 how は「どうやって」、to 不定詞 to do は「するべき」、これらを合わせて「どうやって〜するべきか」となります。how to do 全体で 1 つの名詞のような固まりとして使います。

┌─ ポイント ─────────────────────────────┐
how to do（どうやって〜するべきか、どうやって〜したらいいか）
└────────────────────────────────────┘

what to do（何をするべきか）

I didn't know what to do.（私は何をするべきか知らなかった）

I didn't know what to do.

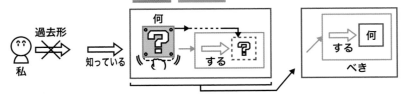

what to do は「何をするべきか、何をしたらいいか」という意味になります。

what to do（what + to 不定詞）

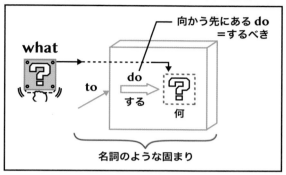

何をするべきか、何をしたらいいか

第41章
疑問詞 to do
（what to do など）

what to do も、疑問詞 what と to 不定詞 to do の組み合わせです。疑問詞 what は「何」、to 不定詞 to do は「するべき」、これらを合わせて「何をするべきか」となります。what to do 全体で1つの名詞のような固まりとして使います。

what 以外に、where や when との組み合わせもよく出てきます。

ポイント

what to do（何をするべきか、何をしたらいいか）
where to do（どこで〜するべきか、どこで〜したらいいか）
when to do（いつ〜するべきか、いつ〜したらいいか）

I don't know where to go.（どこに行けばよいかわかりません）
Do you know how to fly a drone?（ドローンの飛ばし方を知っていますか？）

第42章 SVO to do(want 人 to do など)

to 不定詞を使った表現の最後に want 人 to do の
ようなパターンを学びましょう。ポイントは want
人 to do（人に〜してほしい）の to で「人を do の
方に向かわせる」ようなイメージを描くことです。

want 人 to do(人に〜してほしい)

I want you to play soccer.（私はあなたにサッカーをしてほしい）

 want you to play soccer で「あなたにサッカーをしてほしい」
という意味になります。

want 人 to do

① **want 人**   ② 人 to do

えっ…   ん? 〜する

欲しい   to

人に〜してほしい

want 人 だけだと「人が欲しい」という意味になりますが、そのまま to do を続けることで、その人を do の方に向かわせるイメージになります。一連の流れをつなげて「人が〜することを欲する」→「人に〜してほしい」となります。

このとき「人」は want の目的語ですが、to do の主語にもなっています。このように英語では、1つの単語に2つの役割をもたせることがあります。

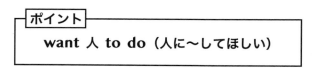

ポイント
want 人 to do（人に〜してほしい）

tell 人 to do（人に〜するように言う）

She told me to study more.（彼女は私にもっと勉強するように言った）

She told me to study more.

told me to study で「私に勉強するように言った」という意味になります。want のときと同様に、「人」は tell の目的語でありつつ、to do の主語にもなっています。

tell 人 to do

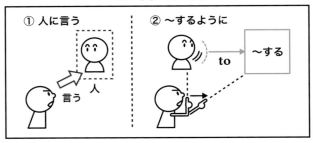

人に〜するように言う

　wantやtell以外に、ask（尋ねる、頼む）も同じような形をとります。

> **ポイント**
>
> **tell 人 to do（人に〜するように言う）**
> **ask 人 to do（人に〜するように頼む）**

I want you to be happy.（私はあなたに幸せになってほしい）
Mr. Imai asked me to wait a minute.（今井くんは私に少し待つように頼んだ）

第43章　原形不定詞（let 人 do など）

　この章では、let 人 do（人に〜させてあげる）などの表現について学んでいきます。 want 人 to do と同じ構造ですが、to を取り除いた形になっています。let 人 do の「do」の部分を「原形不定詞」と呼びます。

第43章
原形不定詞
（let 人 do など）

let 人 do（人に〜させてあげる）

I will let him do it.（私は彼にそれをやらせてあげよう）

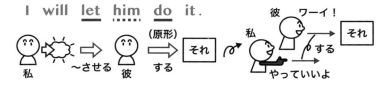

　let him do は「彼に〜をさせてあげる」という意味です。それをやりたがっている彼に許可を出して、やりたいようにさせてあげるというニュアンスになります。

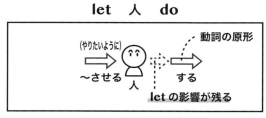

人に〜させてあげる

247

ポイントは「let の影響が残っている」と捉えることです。「人」の後に「動詞の原形」がきていますが、let の影響が残って、「人」→「する」のように人と動作を結びつけているわけです。

make 人 do（（強制的に）人に〜させる）

She made me do my homework.（彼女は私に宿題をやらせた）

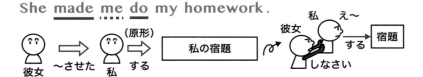

　make me do my homework は「私に宿題をやらせる」という意味です。私の意志にかかわらず、強制的にそうさせるというニュアンスになります。make の「作る、作り出す」イメージから、私が宿題をする状況を作りあげているように捉えるとよいでしょう。

make　人　do

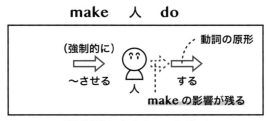

（強制的に）人に〜させる

　この表現も make の影響が残って、「人」→「する」のように人と動作を結びつけているのがポイントです。
　let や make 以外に、help（助ける、手伝う）も同じ形をとります。

ポイント

let 人 do （人に〜させてあげる）

make 人 do （(強制的に) 人に〜させる）

help 人 do （人が〜するのを助ける）

I let Mr. Imai use the office.（私は今井くんに事務所を使わせてあげました）

I helped him do the work.（私は彼がその仕事をするのを手伝いました）

原形不定詞とは

　原形不定詞とは、let 人 do などにおいて「人」の後に続いている「do」の部分のことです。つまり、原形不定詞＝動詞の原形です。

　この原形不定詞という名称は、to 不定詞との対比で用いられます。

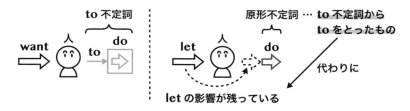

　want 人 to do（人に〜してほしい）と let 人 do（人に〜させてあげる）において、「人」は want や let の目的語でありつつ、to do や do の主語にもなっています。

　つまり、構造としては同じものであり、to 不定詞の to をとったものとして原形不定詞という名称が用いられているわけです。

なお、want 人 to do においては、to が人を動作に向かわせる働きをしていましたが、let 人 do においては、動詞 let の影響が残って、人と動作を結びつけています。

┌─ ポイント ─────────────────────────────┐
│ 　原形不定詞　＝　動詞の原形   │
│ 　　to 不定詞から to をとったもの   │
│ 　動詞の影響が残って、人と動作を結びつける   │
└──────────────────────────────────────┘

ことばの研究室

■ なぜ to 不定詞ではなくて原形不定詞になるの？

今井 原形不定詞が to 不定詞から to をとったものだ、というのはわかりました。でも、どうして let や make の場合は「to なし」で、want の場合は「to あり」なんですか？　どちらかに統一してほしいんですけど……。

遠藤 ごもっともな質問ですね。ちなみに今井くんは「to あり」と「to なし」のどちらの方がわかりやすいですか？

今井 それは「to あり」の方がわかりやすいです。いきなり動詞の原形がポロッと出てくるよりは、to で人を動作に向かわせることを明示した方がしっくりきますね。

遠藤 そうですよね。実はかつては make 人 to do のように、make などでも to を用いていたのです。実際に、劇作家のシェイクスピア（1564-1616）が書いた作品の中に make 人 to do の形のものが出てきます。

　正確に言えば、同じ作品の中に make 人 do の形のものも出てくるので、その頃はどう表現するか揺れていた時期だったわけですね。

今井 ということは、元々は「to あり」が基本だったんですね。そうすると、どうして他の動詞は「to あり」のままなのに、make や let は「to なし」になったのですか？

遠藤 それについては、make と let で理由が異なっていると考えています。それぞれ説明していきますね。

■ make が「to なし」の「make 人 do」になった理由

遠藤 まず make が「to なし」になったのは、第 32 章で出てきた「make 人 状態」（人を〜にする）の用法があったからだと考えています。この用法では make の影響が残って、人と状態を結びつけていましたよね。「make 人 do」においても、それと同じようにすれば人と動作を結びつ

けることができるので、to がなくても大丈夫となったのでしょう。

今井　なるほど。「make 人 状態」と「make 人 do」は形としてもよく似ていますもんね。

　たとえば、make me happy の happy のところに、make me work の work が入るような感じですね。確かに、to work よりも work という1つの英単語を入れる方がしっくりきます。

■ let が「to なし」の「let 人 do」になった理由

遠藤　次に let が「to なし」になった理由ですが、これは let が次のような命令文でよく使われるからだと考えています。

Let me do it.（私にそれをさせて）

　今井くんが子供の頃に戻ったとして、親などに「それさせて！」と言うシーンを思い浮かべてほしいのですが、Let me do it! と Let me to do it! だと、どちらが言いやすいですか？　実際に声に出して確認してみてください。

今井　これは明らかに Let me do it! の方が言いやすいですね。to があると勢いが削がれます。

遠藤　そうですよね。元々 let には「make 人 状態」のような影響が残る用法があったわけではありません。

　しかし、Let me do（私に〜させて）のような命令文の形でよく使われていたため、命令文の勢いが加わって let の影響が残る「let 人 do」が一般的になったのだと思います。

第44章　tell 人 that など

　この章では、tell 人 that（人に〜ということを言う）という表現について学びます。tell 人 to do（人に〜するように言う）と形が似ているので、to とthat の違いについてもおさえておきましょう。

tell 人 that(人に〜ということを言う)

I told him that I was busy.（私は忙しいですと彼に言った）

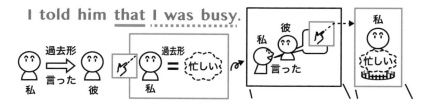

　told him that で「彼に〜ということを言った」という意味になります。

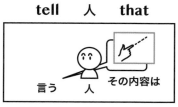

人に〜ということを言う

　tell 人 で「人に言う」となり、that で「その内容は…」と、その言った内容を導いています。これらを合わせた tell 人 that で「人に〜ということを言う」となります。

　tell 以外に、show（示す）も同じような形をとります。

> **tell 人 that**（人に〜ということを言う）
> **show 人 that**（人に〜ということを示す）

Mr. Imai told me that he was sleepy.（今井くんは私に眠いと言った）

I'll show you that I love you.（あなたを愛していることを示すよ）

tell 人 to do と tell 人 that の違い

tell 人 that とよく似た表現に tell 人 to do（人に〜するように言う）があるので、その違いを確認しておきましょう。

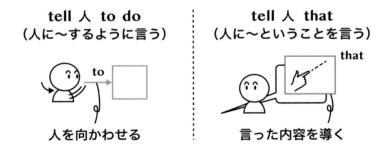

tell 人 to do
（人に〜するように言う）

人を向かわせる

tell 人 that
（人に〜ということを言う）

言った内容を導く

tell 人 to do の to は「人を do の方に向かわせる」のに対して、tell 人 that の that は「言った内容を導く」という違いがあります。

第45章　間接疑問

tell 人 that では that が「(言った内容は)〜ということ」と名詞のように働いていました。今回は what などの疑問詞が名詞のように働くパターンを見ていきます。what that is(あれが何なのか)や where he lives(彼がどこに住んでいるか)などの表現で確認していきましょう。

間接疑問とは

I don't know what that is. (私はあれが何なのか知りません)

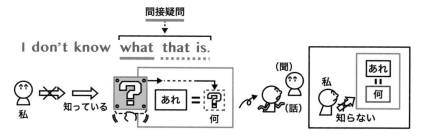

　what that is は「あれが何なのか」という意味です。what that is 全体を「間接疑問」と呼び、名詞の固まりのように扱います。ここでは what that is 全体が know の目的語になっています。

間接疑問は「疑問詞の疑問文」と似ているので、何が違うのかを確認しておきましょう。

疑問詞の疑問文：**What is that?**（あれは何ですか？）

間接疑問：**I don't know what that is.**（私はあれが何なのか知りません）

動詞　主語
What　is　that？
↑　　↑
主語と動詞が倒置
⇒ **疑問文**

主語 動詞
I don't know what that is.
主語＋動詞の語順
⇒**ふつうの文**

　英語では「主語」と「be 動詞や Do など」を倒置して疑問文にしています。

　逆に言えば「主語＋動詞」の語順である what that is は、疑問文ではないふつうの文ということになります。what などの疑問詞を使えば必ず疑問文になるわけではないことに注意しておきましょう。

> **ポイント**
>
> 間接疑問：
>
> 　疑問詞 ＋ 主語 ＋ 動詞 の語順
>
> 　間接疑問全体で名詞の固まりとして扱う
>
> （例）**what that is**（あれが何なのか）

間接疑問を使った疑問文

Do you know where he lives?（彼がどこに住んでいるか知って
いますか？）

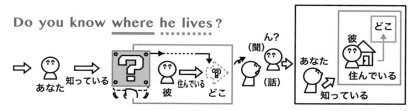

　where he lives は「彼がどこに住んでいるか」という意味です。
今回は Do you know ～？ と相手に尋ねる疑問文の中に間接疑問
where he lives が入っています。

> Do you know what Mr. Imai wants?（今井くんが何を欲し
> がっているか知っていますか？）
> I don't know where he is.（私は彼がどこにいるか知りませ
> ん）

ことばの研究室

■ なぜ「間接疑問を使った疑問文」を使うの？

今井 間接疑問を使った疑問文が出てきましたけど、どうしてわざわざ間接疑問を使うんですか？　次のような疑問詞の疑問文でいいと思うんですが……。

Where does he live?（彼はどこに住んでいますか？）

遠藤 これは日本語でも同じ感覚になるので、例をあげて考えてみましょうか。仮に、今井くんが学校の先生からＡくんの居場所について聞かれているとしましょう。このとき「Ａくんはどこですか？」と「Ａくんはどこか知っていますか？」だと、どちらが丁寧に聞かれていると思いますか？

今井 そりゃもちろん「Ａくんはどこか知っていますか？」ですよ。「Ａくんはどこですか？」だと、何か急用があるのかな……と思ってしまいます。

遠藤 そうですよね。英語でもそれと同じなんです。間接疑問を使った疑問文 Do you know where he lives? は間接的な質問であり、聞き手がどこにいるか知らないことも念頭に置いた上での質問になります。

今井 あー、そうか。「知っていますか？」だから「知らないです」と答えやすいですもんね。

遠藤 そうです。一方で、疑問詞の疑問文 Where does he live? はストレートな質問です。聞き手が答えを知っている前提での質問とも言えますね。

今井 こっちは何となく押しが強い感じがしますね。

遠藤 そうですね。そのため、ふつうは間接疑問を使った疑問文の方が使われるわけです。人と人のやりとりなので、何でもストレートに聞くのがよいというわけではないのですね。

第46章 名詞の補足説明（後置修飾）

英語では「先に名詞を述べて、その後に名詞の補足説明を行う」ことがよくあります。名詞の補足説明として、次の3パターンを確認していきましょう。
・前置詞句（例：the book on the table）
・現在分詞（例：the boy running in the park）
・過去分詞（例：a book written in English）

名詞+前置詞句

The book on the table is interesting.（そのテーブルの上にあるその本は面白い）

the book on the table は「そのテーブルの上にあるその本」という意味です。the book という名詞の後に on the table という前置詞句をもってくることで、名詞がどこにあるのか補足説明を行っています。

名詞の補足説明 ① 前置詞句

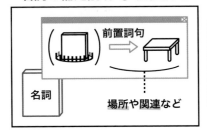

英語では
先に名詞を述べて
続けて名詞の補足
説明を行うことが
よくあります。

場所や関連などの補足説明を加える

　補足説明の部分をイラストでは、ポップアップウィンドウ（※）で表現しています。右上の×印のところで補足説明が終わります。実際の発話では×印のところでひと呼吸置いて、区切りがあることを示します。

（※）「ポップアップウィンドウ」とはパソコンなどで出てくるメッセージボックスのことです。よくわからなければ、代わりに「付箋」（→名詞に貼りつける付箋）というイメージで捉えても大丈夫です。

> **ポイント**
>
> 名詞 ＋ 前置詞句：
> 場所や関連などの補足説明を加える

---

the car in the garage（ガレージにあるその車）

the dog under the table（そのテーブルの下にいるその犬）

books about Japan（日本に関する本たち）

a picture of my family（私の家族の写真）

a woman with an old cat（老猫を連れた女性）

名詞+現在分詞

I know the boy running in the park. （私はその公園で走って
いるその男の子を知っています）

the boy running in the park は「その公園で走っているその男
の子」という意味です。名詞の後に現在分詞をもってくることで、「〜
しているところの」という補足説明を加えています。

名詞の補足説明 ② 現在分詞

現在分詞

名詞

何かをしている状態

「〜しているところの」という補足説明を加える

ポイント

名詞 ＋ 現在分詞：
「〜しているところの」という補足説明を加える

the girl playing tennis （テニスをしているその女の子）
a man walking on the beach （砂浜を歩いている男性）
a woman reading a book （本を読んでいる女性）

名詞+過去分詞

He read a book written in English.（彼は英語で書かれた本を読んだ）

　a book written in English は「英語で書かれた本」という意味です。名詞の後に過去分詞をもってくることで、「〜された」という補足説明を加えています。

名詞の補足説明 ③ 過去分詞

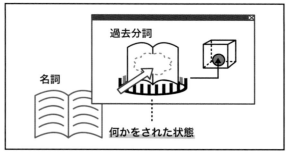

「〜された」という補足説明を加える

┌─ **ポイント** ─────────────────┐
　名詞 ＋ 過去分詞：
　「〜された」という補足説明を加える
└──────────────────────────┘

a bag made in Italy（イタリアで作られたバッグ）

a picture taken by my mother（私の母によって撮られた写真）

a window broken by him（彼によって壊された窓）

【補足】現在分詞・過去分詞が1語だけの場合

　現在分詞・過去分詞は1語だけであれば、名詞の前に置くことができます。

the running boy（その走っている男の子）
a broken window（壊された窓）

　これは running や broken を形容詞単体のように扱っています。the young boy（その若い男の子）や a big window（大きい窓）と同じ感覚で使っているわけです。

　但し、現在分詞・過去分詞が2語以上の場合は、本文で解説したように「名詞の後に置いて補足説明」という形をとらなければいけません。

the boy running in the park（その公園で走っているその男の子）
a window broken by him（彼によって壊された窓）

第47章　関係代名詞

　引き続き「先に名詞を述べて、その後に名詞の補足説明を行う」ことについて見ていきます。前回は前置詞などのフレーズでしたが、今回は「文」で補足説明を行います。ポイントは名詞と補足説明文の間に「関係代名詞」を用いることです。

※関係代名詞の解説イラストは込み入ったものになっています。
　最初の例文解説はじっくり読んでほしいですが、一度仕組みがわかったら、その後はさらっと流し読みすることをおすすめします。

関係代名詞 who（主格）

例文１：**I have a friend who lives in Osaka.**（私には大阪に住んでいる友だちがいます）

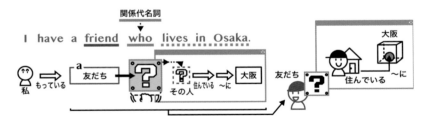

　a friend who lives in Osaka は「大阪に住んでいる友だち」という意味です。

例文における who を「関係代名詞」と呼びます。a friend という名詞の後に who lives in Osaka という関係代名詞に続く文をもってくることで、名詞の補足説明を行っています。

　who は疑問詞のときと同じように「はてなボックス」で表しています。この「はてなボックス」がどのように直前の名詞について補足説明するのか、3ステップに分けて解説していきます。

①補足説明をしたい直前の名詞（先行詞とも呼びます）をはてなボックスで吸いこむ。

②すぐに補足説明用のポップアップをつくり、その中に直前の名詞を出現させる。

③その名詞をつかんで、空いているところに落とす。

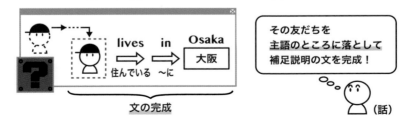

この例文の場合は、「その友だちは住んでいる」という補足内容なので、その友だちを主語のところに落として、補足説明の文を完成させます。補足説明したい内容に応じて、落とす場所は変わるので注意してください。

　疑問詞のときと異なるのは補足説明用のポップアップをつくるところであり、関係代名詞に続く文で名詞の補足説明をしています。

名詞の補足説明 ④ 関係代名詞

関係代名詞に続く文で補足説明する

・直前の名詞に関係する補足説明を導く→「関係詞」
・補足説明の中で直前の名詞の代わりをする→「代名詞」
これらを合わせて「関係代名詞」と呼んでいます。

ポイント

　関係代名詞：

　　直前の名詞に関係する補足説明を導く

　　補足説明の中で、直前の名詞の代わりをする

　（例）a friend who lives in ~（～に住んでいる友だち）

関係代名詞 who（目的格）

例文 2：**The boy who you met yesterday is Taro.** （昨日あな
たが会ったその男の子は太郎です）

the boy who you met yesterday は「昨日あなたが会ったその
男の子」という意味です。今回、直前の名詞「その男の子」を落と
す場所は目的語のところになります。

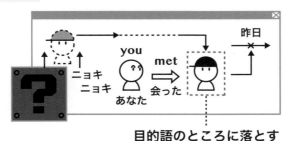

目的語のところに落とす

このように直前の名詞を目的語のところに落とす場合、その関係
代名詞を「目的格の関係代名詞」と呼びます。

最初の例文1のように、主語のところに落とす場合は「主格の関
係代名詞」と呼びます。

ポイント

補足説明の文中で

・主格の関係代名詞 … **主語**として使われる

・目的格の関係代名詞 … **目的語**として使われる

【補足】who の目的格 whom について

　実は who の目的格は whom です。he - him と同じように、who - whom という形になります。そのため、例文 2 は The boy whom you met yesterday is Taro. が文法的に正しい文になります。

　しかし、実際には whom は公文書など限られた場面でしか使われず、口語ではほぼ使われていません。whom の代わりに、一般的には who が使われているので、この解説でも who を使って解説しています。

関係代名詞 which

■ 主格

例文3：This is a bus which goes to Osaka.（これは大阪に行くバスです）

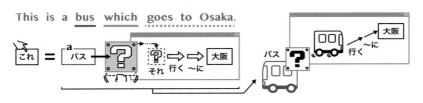

　a bus which goes to Osaka は「大阪に行くバス」という意味です。
　関係代名詞は直前の名詞が人か物かによって使い分けます。人の場合は who を、物の場合は which を使います。

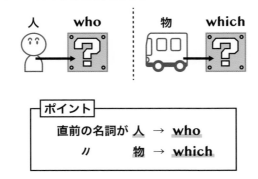

■ 目的格

例文４：**This is the book which I bought yesterday.**（これが
　　　　私が昨日買ったその本です）

　the book which I bought yesterday は「昨日私が買ったその本」
という意味です。

関係代名詞 that

　関係代名詞 who, which の代わりに that を使うこともできます。

例文２'：**The boy that you met yesterday is Taro.**（昨日あな
　　　　たが会ったその男の子は太郎です）

　「関係代名詞の that」は「that 節の that」と同じイメージで捉え
るとよいでしょう。

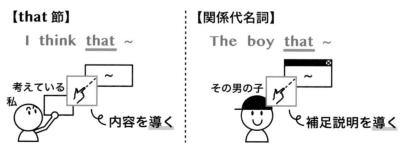

that 節の that が「内容を導く」働きをしていたのと同じように、関係代名詞の that は「補足説明を導く」働きをします。関係代名詞 that はその後に補足説明がくる目印になっている、とも言えます。

　例文2'は例文2の who を that に変えたものですが、それ以外の例文1、3、4においても who や which を that に置き換えることができます。

例文1'：I have a friend that lives in Osaka.

例文3'：This is a bus that goes to Osaka.

例文4'：This is the book that I bought yesterday.

　関係代名詞の使い分けを一覧表にまとめておいたので確認しておいてください。

直前の名詞（先行詞）		主格	目的格
	人	who / that	who (whom) / that
	物	which / that	which / that

This is a drone that Mr. Imai wants to buy. （これが今井くんが買いたがっているドローンです）

The man who you just talked to is a famous soccer player. （あなたがさっき話しかけた男性は有名なサッカー選手ですよ）

関係代名詞の省略

　関係代名詞には省略できるときと省略できないときがあります。基本的に、関係代名詞が目的格のときは省略できて、主格のときは省略できません。

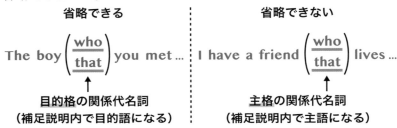

省略できる

The boy $\left(\dfrac{\textbf{who}}{\textbf{that}}\right)$ **you met ...**

目的格の関係代名詞
（補足説明内で目的語になる）

省略できない

I have a friend $\left(\dfrac{\textbf{who}}{\textbf{that}}\right)$ **lives ...**

主格の関係代名詞
（補足説明内で主語になる）

目的格の関係代名詞は省略できる

例文2″：**The boy you met yesterday is Taro.**（昨日あなたが会ったその男の子は太郎です）

The boy you met yesterday is Taro.

その男の子
あなた 会った その人 昨日 ＝ 太郎

その男の子

あなた 会った 昨日

　the boy you met yesterday で「昨日あなたが会ったその男の子」という意味になります。このように目的格の関係代名詞は省略できます。

主格の関係代名詞は省略できない

（×）例文 1 ″：I have a friend lives in Osaka.

主格の関係代名詞は省略することができません。

省略可否を分けるポイント

目的格の関係代名詞は省略できて、主格の関係代名詞は省略できないと述べましたが、この省略できるかどうかについて、もう少し直感的にわかるように言い換えておきましょう。

・先行詞の後に名詞が続く場合：省略できる
・先行詞の後に動詞が続く場合：省略できない

　　　　先行詞　　　　　　　　　　　先行詞
（〇）The boy you met ...　（×）I have a friend lives ...
　　　名詞　　名詞　　　　　　　　　名詞　　　動詞

先行詞（名詞）の後に
名詞が続く場合は省略できる

先行詞（名詞）の後に
動詞が続く場合は省略できない

ただし、これはルールのようなものではありません。どうしてこのようになるのか、例文 2 ″と例文 1 ″を取り上げてネイティブの感覚を解説します。

■ 先行詞の後に名詞が続く場合

例文2'' : **The boy you met yesterday is Taro.**（昨日あなたが
会ったその男の子は太郎です）

　英語では、名詞の後には動きを表す単語がくるのがふつうです。
そのため、この例文のように「名詞（the boy）→名詞（you）」が
続くと、ネイティブは the boy に対する補足説明が始まったんだ
なと解釈します。

　名詞の後に名詞が続くのは明らかにおかしいため、補足説明だと
気づくことができるというわけです。

■ 先行詞の後に動詞が続く場合

（×）例文 1 '' : I have a friend lives in Osaka.

　この例文では「名詞（I）→動詞（have）→名詞（a friend）→動詞（lives）」となっていて、さきほどの「名詞（The boy）→名詞（you）」のような明らかに流れがおかしいところがありません。つまり、補足説明だと気づくきっかけがないのです。

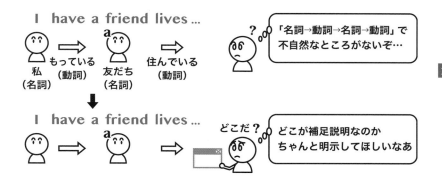

　そのため、どこが補足説明の部分なのか、聞き手が英文の意味から判断しないといけません。これは聞き手にとって負担ですし、意味の取り違えにもつながりかねません。

　このような理由から、先行詞の後に動詞が続く場合は、関係代名詞を使ってちゃんと補足説明が始まる合図をするわけです。

┌─ ポイント ─────────────────────────────┐
│   │
│ 関係代名詞の省略：   │
│ ・先行詞の後に 名詞 → 省略できる   │
│ ・   〃   動詞 → 省略できない   │
│   │
└──┘

ことばの研究室

■ 関係代名詞にいろいろなパターンがある理由

今井 なんで関係代名詞って、こんなにパターンがあるんですか？ that がどんなときでも使えるのであれば、that だけでいいと思うんですけど……。that だけではダメなんですか？

遠藤 とりあえず that でつなぐのは 1 つの手だと思いますよ。あと、どういうときにどれを使えばいいのかもざっくりお伝えしておきますね。

・話し言葉の場合：関係代名詞が省略できるときはふつう省略する。

・書き言葉の場合：基本的に who/which を使う。

今井 どうして話し言葉と書き言葉で違うんですか？

遠藤 関係代名詞は書き言葉において意味の取り違えがないようにするために生まれたものだからです。

今井 すみません、どういうことですか？

遠藤 現在使われているような関係代名詞は中英語時代（11 〜 15 世紀頃）に出てきたもので、その前の古英語時代（5 〜 11 世紀頃）にはなかったのです。

　古英語時代、英語は主に話し言葉として使われていたわけですが、その頃は関係代名詞がなくても話し方を工夫することで、だいたい問題なく通じていたのだと考えられます。

今井 ということは、中英語時代に書き言葉として使われることが増えたから、関係代名詞が出てきたってことですか？

遠藤 そうです。中英語時代、紙の製造技術や印刷技術の発展に伴って書き言葉としての英語が増えていきました。

　しかし、書き言葉では話し言葉で行えていたような工夫を表現する方法がありません。そこで、名詞の補足説明を行う場合は、その目印として that が使われるようになっていったわけです。

目印の **that** があると わかりやすいね

■ that から who/which に変わっていった理由

今井 最初は that だったんですね。

遠藤 そうです。歴史的には「関係代名詞なし」→「that」→「who/which」という順で登場しているんです。

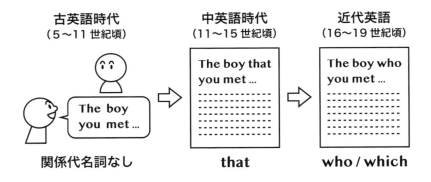

今井 個人的には that だけで十分だと思いますが、どうして who や which が出てきたのですか？

遠藤 that でも補足説明が始まることはわかりますが、who であれば人、which であれば物の補足説明であることが一目瞭然ですよね。書き言葉としてのわかりやすさを追求していくと、that よりも who/which の方が優秀だったわけです。

今井 うーん。それはそうなんでしょうけれど、急に who や which が出てくるのはイマイチ納得できません。なぜ、who や which だったんですか？

遠藤 いい質問ですね。who や which はそれまで疑問詞として使われて

いました。疑問詞の働きとして「わからないものをつかんで、元々あったところに落とす」というものがありましたよね。この疑問詞の働きが補足説明の仕組みにも流用できることに気づいた人がいたのだと思います。

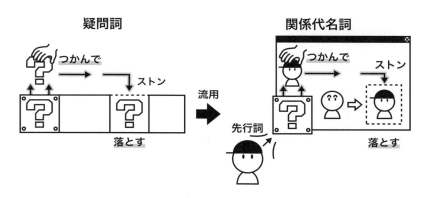

ちょうどその頃、イギリスの台頭とともに英語も世界に広がっていました。母語が英語ではない人たちにも英語を理解してもらえるように、英文法をまとめあげる必要が出てきていたのです。その過程で、補足説明の仕組みが説明しやすい who や which を用いた「関係代名詞」が出てきたのだと思います。

今井　まあ、確かに who や which の方が補足説明の仕組みを説明しやすいでしょうね。

遠藤　書物などに書かれた英語はこれで理解できるようになりますし、会話などで話される英語では関係代名詞が省略されていると考えればいいだけですからね。

今井　なるほど。関係代名詞にいろんなパターンがあるのは、こういう経緯があったからなんですね。

第48章　仮定法

　　中学英語の最後は「仮定法」です。仮定法とは、過去形を用いることで「現実と異なることへの願望」などを表す方法のことです。wish を用いた「～だったらいいのに」、if を用いた「もし～だったら、～なのに」という表現を元に、仮定法について説明します。

仮定法とは

（太郎に信一が電話をかけています）
信一　もしもし、太郎？　いまから釣りに行かない？
太郎　ごめん、今日は無理だ。家で妹の面倒見なくちゃいけなくてさ。
信一　そっかー、残念。
太郎　うん。<u>一緒に行けたらよかったんだけどね</u>。

I wish I could go with you.（一緒に行けたらいいのに）

　　I wish I could ～ は「～できたらいいのに」という意味です。「いまから釣りに行かない？」という現在のことに対して、could

という過去形を用いることで、「〜できたらいいのに」（現実と異なることへの願望）を表すことができます。このような過去形の使い方を「仮定法」と呼びます。

　しかし、どうして過去形を使うと、このような「現実と異なることへの願望」を表せるのでしょうか。その仕組みを確認しておきましょう。

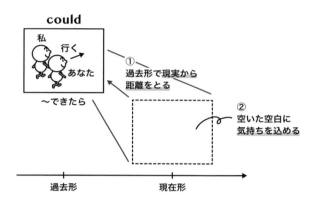

could

私　行く→
あなた

〜できたら

① 過去形で現実から距離をとる

② 空いた空白に気持ちを込める

過去形　　　　現在形

第48章
仮定法

　過去形を使うことで現実から距離をとっています。そして、現実のところに空いた余白に「一緒に行きたかったんだけど、行けなくてごめんね」のような気持ちを込めているわけです。

　なお、どのような気持ちを込めるかは話し手次第です。「ごめん」と謝る気持ち以外にも、「釣りに行けなくて残念」という気持ちを込めることもできるので、文脈から読みとる必要があります。

> **ポイント**
>
> 仮定法：
> 　過去形で現実から距離をとる
> 　空いた余白に気持ちを込める

非現実的な前提条件

夏帆　今日、例の映画の公開日だね。見に行くんでしょ？
千穂　それが行けないの。仕事が溜まってて残業確定……。
夏帆　えー、すごく楽しみにしてたじゃん。
千穂　あーあ。時間があれば、今晩映画館に行くのになあ。

If I had time, I would go to the cinema tonight. （もし時間
があったら、今晩映画館に行くのに）

　If I had で「もし私が〜をもっていたら」、I would 〜で「〜す
るのに」という意味です。
　「If ＋過去形」という形で、「非現実的な前提条件」を表しています。

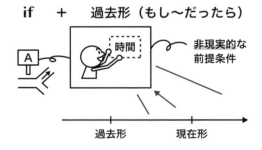

　実際のところ映画館に行く時間はないわけですが、If I had time
と過去形を用いることで、「もし時間があったら」と現実にはあり
えない前提を置いているわけです。

続く文で、I would のように助動詞の過去形 would が使われて
いるのは、気持ちを表すためです。

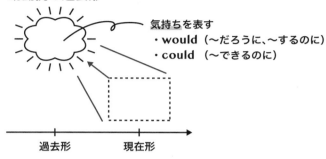

助動詞の過去形

気持ちを表す
・**would**（〜だろうに、〜するのに）
・**could**（〜できるのに）

過去形　　　　現在形

　would は「〜だろうに、〜するのに」、could は「〜できるのに」
という意味を表します。

┌─ **ポイント** ─────────────────────┐

if ＋ 過去形（もし〜だったら）：非現実的な前提条件

助動詞の過去形　　　　　　　：気持ちを表す

　　would（〜だろうに、〜するのに）

　　could　（〜できるのに）

└────────────────────────────┘

現在形を用いた場合

比較：**If I have time, I will go to the cinema tonight.**（もし
　　　時間があれば、今晩映画館に行きます）

　この場合は「時間があれば行くし、時間がなければ行かない」と
なります。If I have や I will のように現在形を使うと、現実につ
いての話になるわけです。

be動詞は were を使う

（携帯電話の最新機種のパンフレットを見ながら）

大和　うーん、これとか良さそうなんだけど、どう思う？

智一　俺なら、それを買うね。

大和　なんで？

智一　いま売ってる携帯の中で一番小さくて、ポケットに入れても
　　　違和感なさそうだからな。

If I were you, I would buy it.（もし私があなたなら、それを買
うだろう）

　　If I were you で「もし私があなただったら」、I would 〜で「〜
するだろう」という意味です。

　　仮定法において、be 動詞は was ではなく were を使います。

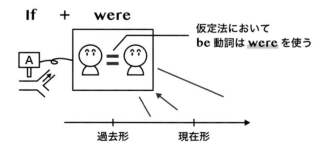

　　ふつうは was にするところを、あえて were にすることで、現
実と異なる話であることを強調していると考えるとよいでしょう。

また、今回出てくる助動詞の過去形 would は「〜だろう」とシンプルに思い描いたことを表しています。

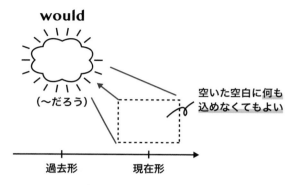

would

（〜だろう）

空いた空白に何も
込めなくてもよい

過去形　　　現在形

過去形にすることで余白をつくることができるわけですが、そこに気持ちを込めてもよいし、何も込めなくてもよいのです。

なお、If I were you のような非現実的な設定をした上での推量（〜だろう）なので、would と過去形にする必要はあります。

> **ポイント**
>
> ## 仮定法において be 動詞は were を使う

今井　遠藤さん、200万円くださいっす。

遠藤　突然なんですか……。何に使うの？

今井　最新のドローン買うのにお金がいるんっすよ。

遠藤　そんなの自分で稼いで買いなよ。

今井　やっぱダメか。200万円あれば、新しいドローンが買えるのになあ。

If I had two million yen, I could buy a new drone.（もし200万円あれば、新しいドローンが買えるのになあ）

ことばの研究室

■ were は was ではダメなのか？

今井 If I were you（私があなただったら）はまだ意識できそうですけど、If it were sunny（天気が晴れだったら）は If it was sunny と言い間違える自信がありますね。これ、was だとダメなんですか？

遠藤 実際のところ、話し言葉では was も使われています。正しくは were ですけれど、やはり主語が I や it だと、was と言ってしまうのでしょうね。

今井 なんだ、ネイティブでも言い間違えるんですね。

遠藤 were は仮定法であることを明確に伝えるための配慮だと考えるとよいと思いますよ。

■ 厄介な依頼を仮定法で角を立てずに回避する

今井 しかし、仮定法という言葉自体がとっつきにくいですよね。今回の説明を聞いて、空想表現のようなわかりやすい言葉にすればいいのにと思いました。

遠藤 確かに空想したことを伝える表現ですからね（笑）　いずれにせよ、大切なことは「気持ちを込めることができる表現」ということです。

今井 そういえば、仮定法を訳すときに「一緒に行けたらいいのに」の後に（現実には行けない）のような但し書きをよく加えているじゃないですか。僕はこの但し書きを見るたびに、なんかピントがズレているよなあって感じてたんですよね。

遠藤 （現実には行けない）は確かにその通りですが、話し手が本当に思っていることは（一緒に行けなくてごめんね）とか（一緒に行けなくて残念）とかですからね。

　仮定法はそういう気持ちを伝える表現方法なのに、但し書きを加えることでそれらの気持ちを無視することになってしまうとしたら、それはよくない訳し方だと思います。

今井　本当にそう思います。あと、学校で習う仮定法って「良い子ちゃん」しすぎていませんか？

遠藤　急になんですか（笑）

今井　たとえば、I wish I could だと、いつも「そうできたらいいのに」と前向きに訳している気がするんです。でも、僕だったら、厄介な頼まれごとに対して「いやー、できればそうしたいんですけどね」とかわすときに使うと思うんですよ。

遠藤　あー、なるほど。ネイティブもそういう使い方をしますよ。本心では（やりたくないなぁ、行きたくないなぁ）と思うような依頼に対しても、I wish I could を使えば角を立てずに断れますからね。

今井　やっぱりそうですよね。そう考えたら、仮定法って便利ですね。

遠藤　含みをもたせられますからね。使い勝手のいい表現方法だと思いますよ。

おわりに

再読のお願い

　これで中学英語の内容を一通りおさえたことになりますが、可能であれば本書を読み直してみていただければと思っています。その理由は、ご自身でモデル化を試みていただきたいからです。

　例文を元に、どの単語がどのような役割を果たしているのかを考える。これを繰り返すことで、英語の背後にある自然さに対する理解を深めていただけるものと思っています。

　また読み直しの際には、日本語訳を見ないで済ませることにもトライしてみていただきたいと思っています。例文をモデル化して、その例文が表している内容を思い描くところで留めてみていただきたいのです。

　私たちはどうしても「日本語訳をする」ことをゴールに設定しがちです。「日本語訳しなければ理解できたとは言えない」と思い込んでいると言ってもいいかもしれません。

　日本語訳はあくまで一手段です。英語を理解するための方法として「例文が表している内容を思い描く」という別の手段があることも、ぜひ体感してみていただければと思います。

本書を執筆するきっかけ

　本書の特徴は、「はじめに」で述べたように「モデル化」です。モデル化のよいところは、モデルが合っているかどうか客観的に判断できるところです。

　言い換えれば、言葉による半ば強引な解説をしなくても済むとい

うことでもあります。そのため、モデル化は英語を学ぶ人だけでなく、英語を教える人にとっても大変役立つものと思っています。

　本書を執筆するきっかけは、英語を教える先生からたくさんのお問い合わせをいただいたことです。2012 年に英語研究を始めて以来、私は「英会話」をテーマに執筆活動を行ってきましたが、その過程で最もお問い合わせがあったのは先生からでした。

「私が受けもっている授業は、英語での表現を学び、実際に活かすというのが本来の目的の科目ですが、ただの文法の授業になっていて、生徒ももちろんですが、授業をやっている私自身もつまらないと感じる授業になってしまっています。もっと楽しい授業にするために、遠藤先生の描かれたイラストの一部を授業で使用させていただけないでしょうか？」（著者が一部改変）

　このようにイラストの使用許諾を求められる機会が多くあり、教育目的に限定して使用許可を出してきました。

「遠藤先生のイラストを活用して、イメージで学ぶようにしてから、生徒からの反応もとてもよく、以前より理解しているように感じています。私自身、授業を楽しみながらやれるようになりました。準備は大変ですが（笑）」（著者が一部改変）

　授業の事後報告として、このようなご報告をいただくこともあり、著者として大変嬉しく思っていました。

　しかし、これまでに執筆してきたのは「英会話」における英語表現を解説したもので、「英文法」を体系的にまとめられていませんでした。そこで「学ぶときだけでなく、教えるときにも使える本を作ろう！」と思い、本書を執筆することにしたわけです。

本書が英語を学ぶ人だけでなく、英語を教える人のお役にも立つことができたら、著者として大変嬉しく思います。

遠藤雅義

※本書におけるイラストも学校の授業のような教育目的であれば許可していく予定です。使用状況を把握する必要がありますので、使用される前に以下の連絡先までご連絡をお願いします。

連絡先：info@english-speaking.jp（英会話エクスプレス出版）

ことばの研究室

■ 品詞は配置の影響を大きく受ける

遠藤　今回執筆するにあたって、例文のモデル図をたくさん描いたのですが、それを通じて気づいたことがあります。それは「品詞は配置の影響を大きく受ける」というものです。

今井　また突然ですね。なんですか、それ？

遠藤　たとえば、every day（毎日）というフレーズがありますよね。every（すべての）は形容詞、day（日）は名詞です。しかし、それらを合わせた every day は副詞句として使われるのです。

今井　確かに言われてみたら不思議ですね。形容詞＋名詞なんて副詞の要素がまったくないのに、どうして every day は副詞句として働いているんですか？

遠藤　その理由を説明するのが「配置」です。次の例文で考えてみましょう。

She cleans the room every day.（彼女は毎日その部屋を掃除します）

　結論から言うと、every day は「動きを表すところに置かれている」ので、動きを表す副詞句として働いているのです。

今井　字面だけ読むと禅問答みたいですね。なんとなくわかるんですが、every day は特別なフレーズのような気もするので、別の例で説明してもらえませんか？

遠藤　それでは google という単語を取りあげてみましょう。今井くんは google という単語の品詞は何だと思いますか？

今井　そりゃ「グーグル」だから名詞でしょう。

遠藤　正解です。しかし、不正解でもあります。実は google は動詞としても使われるのです。

Did you google it? （それ検索して調べた？）

今井　あっ、日本語でいう「ググる（＝検索する）」ですね。そうか、google には動詞としての働きもあるのか。

遠藤　ストップ！　ちょっと待ってください。そう考えるのは得策ではありません。そうではなくて、google という単語は動きを表す動詞のところに置いて使われることが増えたので、google の品詞に動詞が追加されたと考えてほしいのです。

今井　どういうことですか？

遠藤　元々 google は「検索サービスの名前」なので、最初は単なる名詞でした。名詞としての google は、ユーザがキーワードを打ち込み、そのキーワードについての調べ物をする、そういう検索サービスを提供するサイトを表していたわけです。

　ところが、ある日、誰かがそのようなイメージを含んだ google という単語を、動きを表す動詞のところに置いて使ってみたのだと思います。

今井　僕だったら面白い表現だなって思っちゃいますね。

遠藤　そうですね。おそらく多くの人が「これまでに聞いたことがない

表現だけど、言いたいことはわかる」と感じて、受け入れられていったのだと思います。そして、十分に広まってから、辞書の google の品詞に「動詞」が追加されたのです。

今井 なるほど。つまり、品詞というのは後付けってことですか。

遠藤 その通りです。重要なことは品詞ではなく、その単語が「動きを表すところ」に置かれているのか、「名称や状態を表すところ」に置かれているのか、です。

今井 「静」と「動」ってやつですよね。

遠藤 そうです。英語は「静」と「動」を繰り返すことで状況を描いていると説明しましたよね。「静」のところに置かれた単語は名称や状態を表しますし、「動」のところに置かれた単語は動きを表すようになるわけです。

今井 そう考えたら、自分でも単語の新しい使い方を生み出せそうですね。

遠藤 その使い方が多くの人にわかってもらえるものだったら、後世の辞書に載るかもしれませんね。ぜひ、そのような遊び心をもって英語を使ってみてもらえたらと思います。

参考文献

近代英語における関係詞節の意味と機能（田中彰一・村上晋）1995年　佐賀大学

「関係代名詞」の解説を執筆するにあたって拝読した論文です。関係代名詞の that は目印に過ぎないこと、元々口語では関係代名詞なしで通じていたこと、印刷技術の進展や英文法の標準化などによって関係代名詞が発生したことを参考にさせていただきました。

スペシャルサンクス

たくさんのご協力をいただき、本当にありがとうございました！

◎編集協力

黒下俊和、今井浩介

◎表紙装丁・イラスト

jyuri-

◎原稿モニター

Coco1726、Johnadelan、KSK524、momo、naka、N.M(mimi05)、RARURI、Spacific、Yoshitaka Hirobe、浅川令、雨宮美輪、あや、内田綾子、内野由香理、浦川ちひろ、江上実花、小田井まゆみ、くろ＊さか、滝沢栄、小さな箱庭フィリリ、永井雅子、はな518、古川歩実、松浦まつ子、皆川瑞貴、もんじろう

◎英文の読み上げ

仲谷亜希子

◎組版

Mazdylr

もっと学びたい方へ

英会話イメージリンク習得法　初級〜中級　理論

　英文法の次に英会話ができるようになりたい方におすすめ。実際に始める前に知っておきたいことをまとめた書籍です。心構えや勉強方法、英会話に必要な英文法などを取り上げています。

　本書の「ことばの研究室」で登場した今井くんが、実践的なアドバイスや英会話ができるようになるまでの経験などを語っているので、興味がある方は読んでみてください。

英会話イメージトレース体得法　中級〜上級　理論

　本書を読んで日本語に興味をもった方におすすめ。日本語と英語の違いを掘り下げた書籍です。日本語のイメージについても学べます。

　言語が好きな方だけでなく、英語を教えている方、日本語を教えている方、英語がなかなか出てこない方も読んでみてください。

英会話エクスプレス６ヶ月コース　初級　実践　1日15分

　理屈はさておき、英語のリスニングやスピーキングを伸ばしたい方におすすめ。英語とイメージを結びつける実践教材です。ニュアンスだけでなく、英単語のコアイメージも学ぶことができます。

　聞き流しでも学べる解説入り音声教材も用意しているので、英語学習が続けられなくて悩んでいる方も試してみてください。

著者紹介

- -

遠藤雅義（Masayoshi Endo）

1980 年生まれ。徳島県出身。東京大学理学部数学科卒。現在、英語
関連書籍、教材の開発を手がける株式会社アイディアミックス代表。
2012 年から在野で英語研究を開始し、最近は日本語と英語における
物の見方の違いについて研究している。著書に『英会話イメージリ
ンク習得法』『英会話イメージトレース体得法』『英会話エクスプレ
ス 6 ヶ月コース』（英会話エクスプレス出版）などがある。

中学英語イメージリンク
大人のやり直し英文法

2021 年 7 月 13 日　第一刷発行

著者	遠藤雅義
発行人	遠藤雅義

発行所　　英会話エクスプレス出版
　　　　　（株式会社アイディアミックス内事業部）

　　　　　〒 770-0845　徳島県徳島市新内町 1-6 ダイアパレス新内町 204
　　　　　TEL　050-3555-9282（株式会社アイディアミックス代表番号）

　　　　　ホームページ　https://www.eikaiwa-express.com/

印刷・製本所　　シナノ印刷

ISBN 978-4-9907223-2-6 C0082 Copyright 2021 Masayoshi Endo Printed in Japan